P9-DXR-630
义务教育课程标准实验教科书
数 学
一年级 上册
HELLO
my name is
Steven

义务教育课程标准实验教科书
数　学
一年级　上册
课　程　教　材　研　究　所
小学数学课程教材研究开发中心　编著
*
人　民　教　育　出　版　社　出　版
（北京市海淀区中关村南大街17号院1号楼　邮编：100081）
网址：http://www.pep.com.cn
中原出版传媒集团公司重印
河　南　省　新　华　书　店　发　行
河南新华印刷集团有限公司印装
*
开本890毫米×1240毫米　1/32　印张4　字数70 000
2009年3月第2版　2009年6月河南第1次印刷
印数1—560 000
ISBN 978-7-107-14632-9
G·7722（课）　定价：4.61元
本书定价经豫发改收费[2006]632号文批准。
全国举报电话：12358
著作权所有·请勿擅用本书制作各类出版物·违者必究
如发现印、装质量问题，影响阅读，请与印厂联系调换。
印厂地址：郑州市经五路12号　邮编：450002　电话：0371—66202901

学科编委会

主　　任　刘意竹

副 主 任　张卫国　卢　江

教材主编　卢　江　杨　刚

本册编写人员　张卫国　卢　江　杨　刚
陶雪鹤　王永春　丁国忠

责任编辑　陶雪鹤

美术编辑　郑文娟

插图作者　北京天辰文化艺术传播有限公司
郑文娟　魏秀怡

封面设计　林荣桓

封面绘图　郑文娟

编者的话

亲爱的小朋友：

上学了，你已经是小学生了。从现在开始，你要学习很多的数学知识。

你会数数吗？认识积木的形状吗？会看钟表吗？……这些都是你要学习的数学。

数学是很有用的知识，学会它你可以知道很多事情，还能增长本领，会解决很多问题。

打开这本书，你就会看到许多有趣的游戏和活动，那可是一个神奇的数学天地噢！只要你爱动脑筋，多和老师、同学一起讨论，就会发现数学是多么的生动有趣！当你感到自己的本领一天一天地增长，该是多么愉快呀！

祝你好好学习，天天向上！

编者

2001 年 5 月

目　录

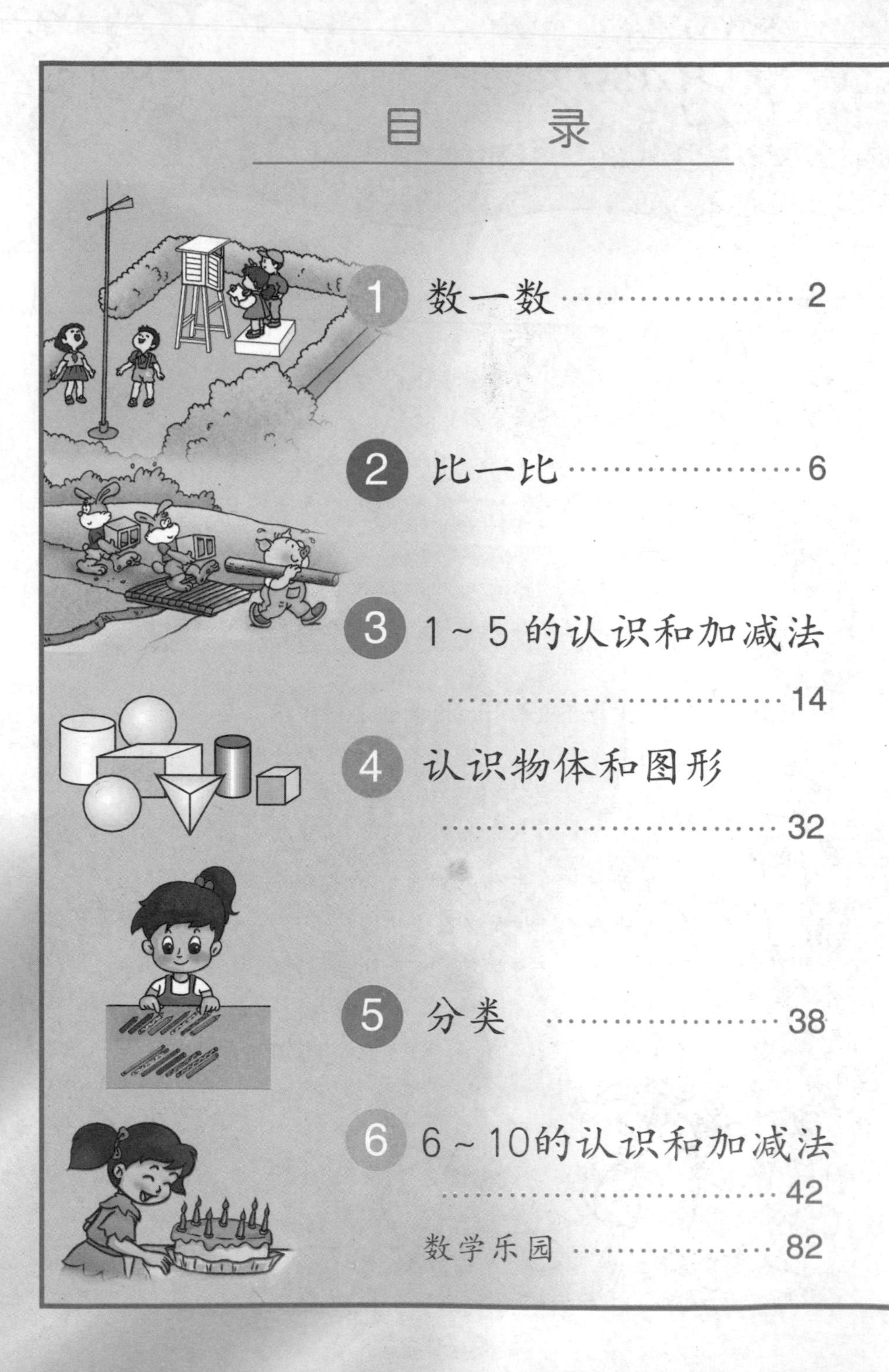

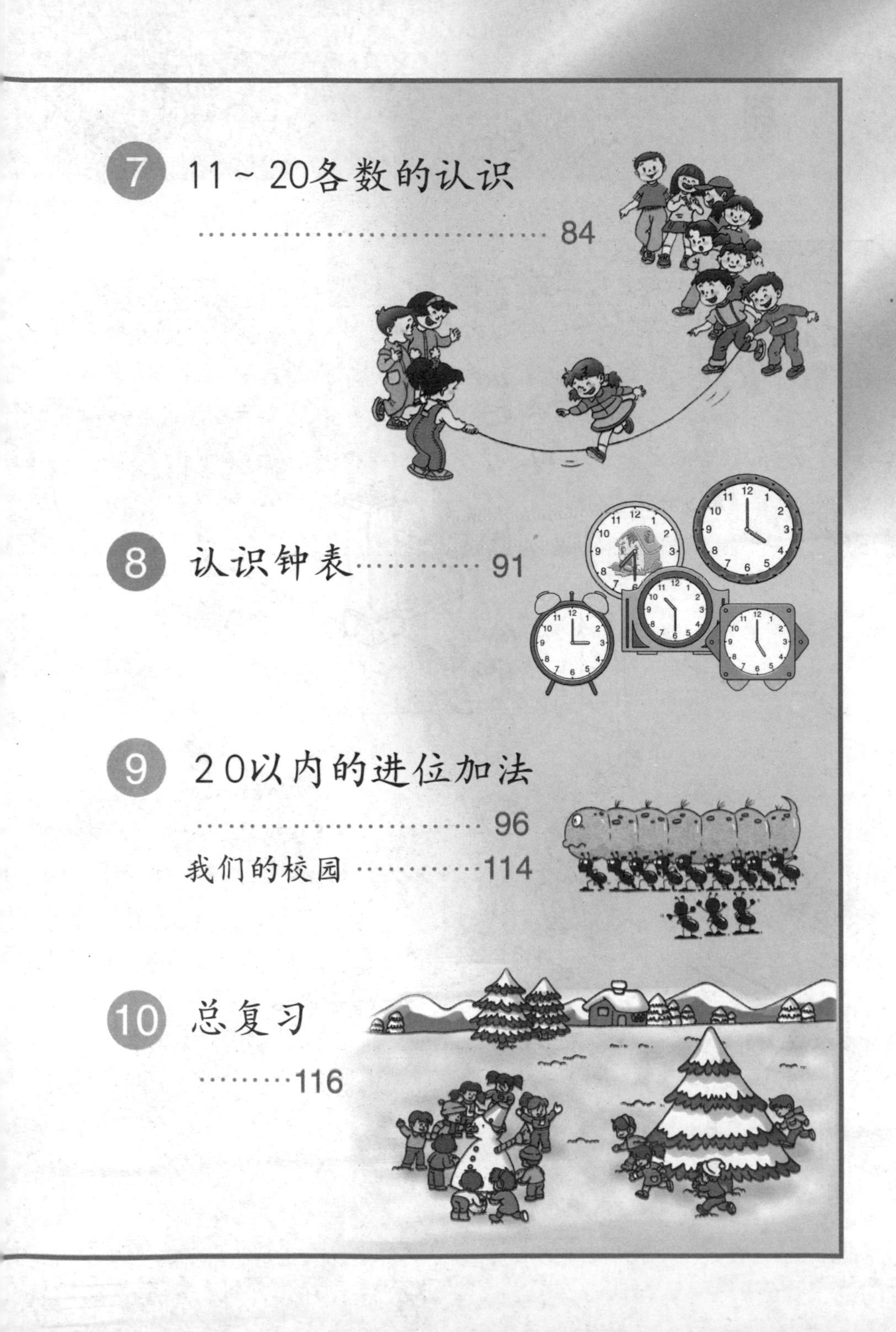

1
数一数

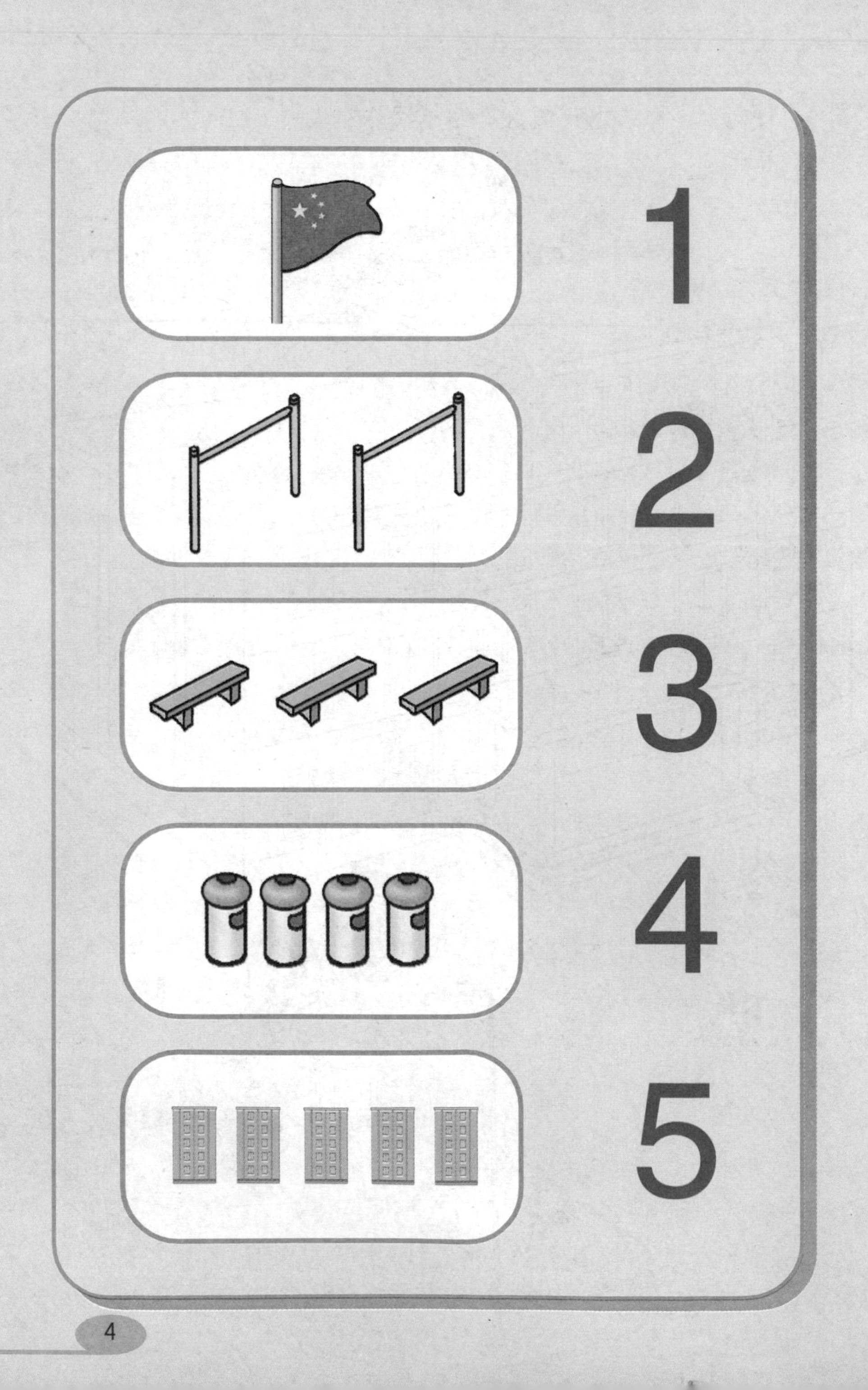
1
2
3
4
5

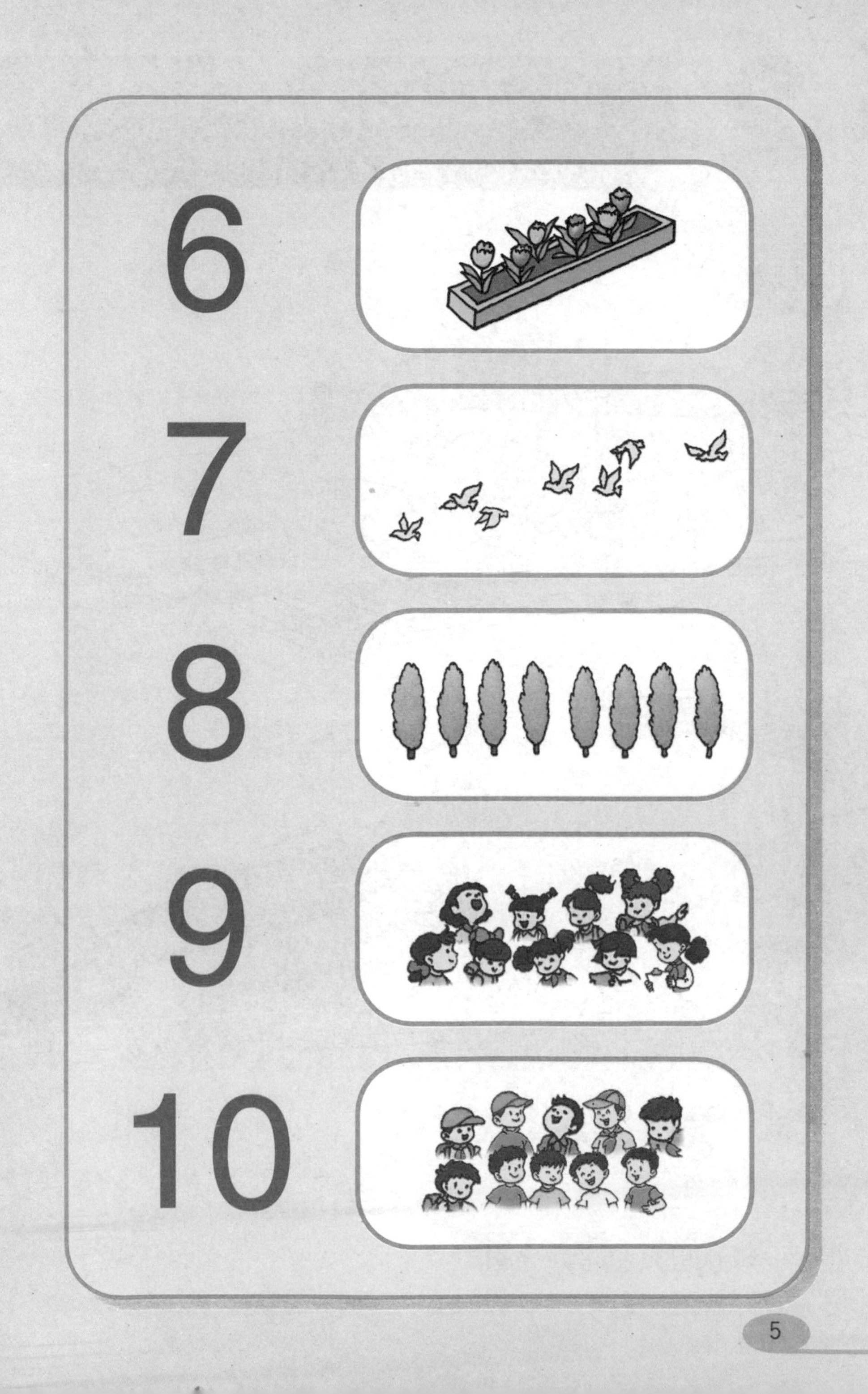
6
7
8
9
10

2
比一比
和 同样多。

少
多
图中还可以比什么？

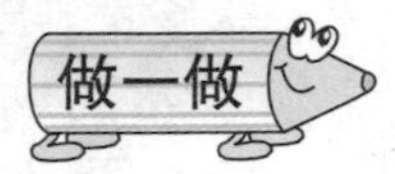

1. 摆一摆。

2. 摆一摆。

长 短

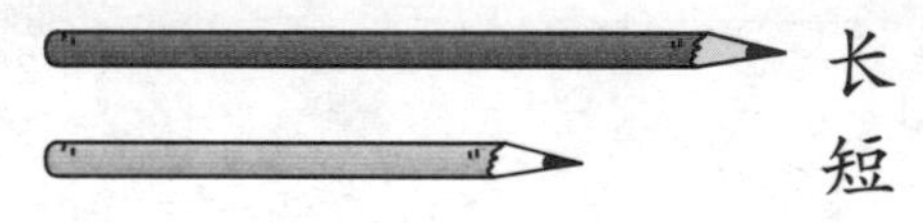
长
短

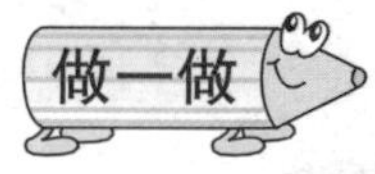
做一做

一样长。

高　矮

做一做

请排好队。

我最高。

练习一

1.

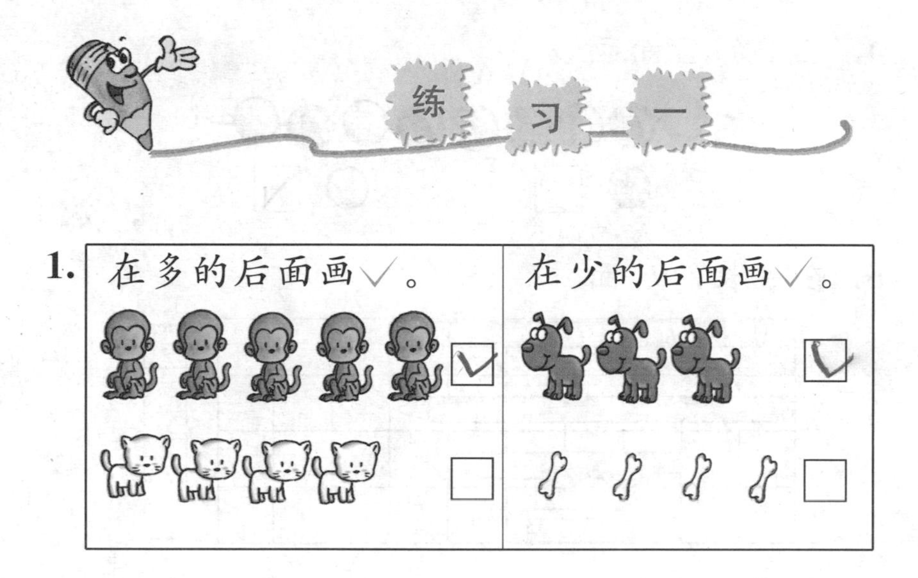

2. 在少的后面画✓。

3. 在少的下面画✓。

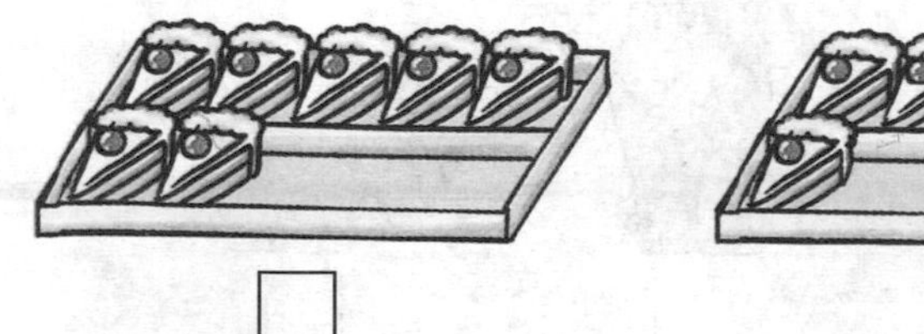

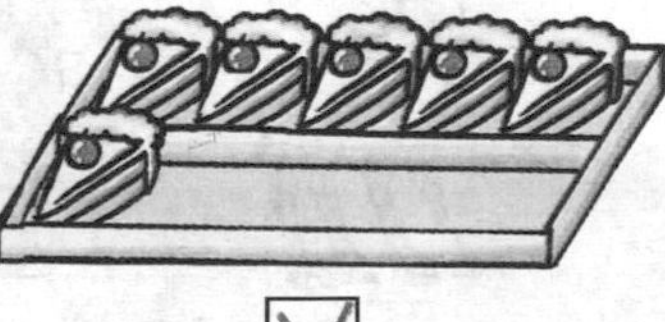

4. 在多的后面画✓。

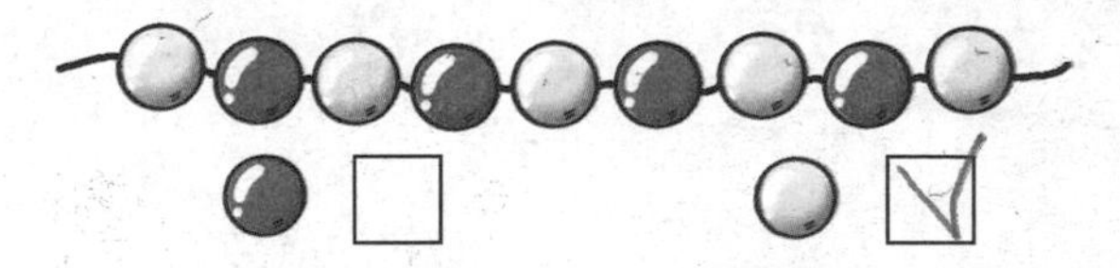

5. 在最长的后面画✓。

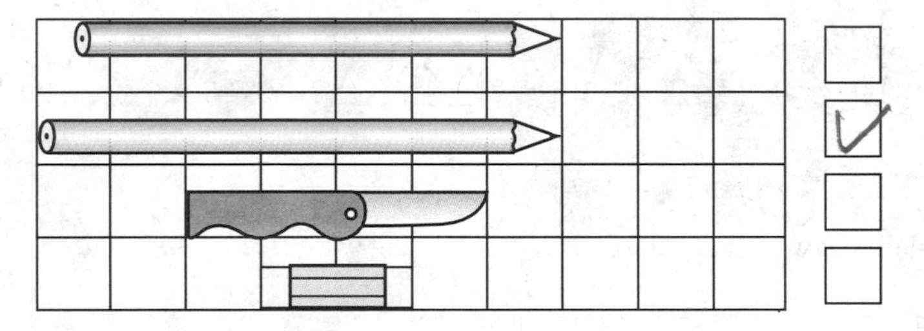

6. 在短的后面画✓。

7. 在最高的下面画✓。

8.

9.

（1）

这样比对吗？

（2）

（3）

3
1~5的认识和加减法
1
2
3

4
5

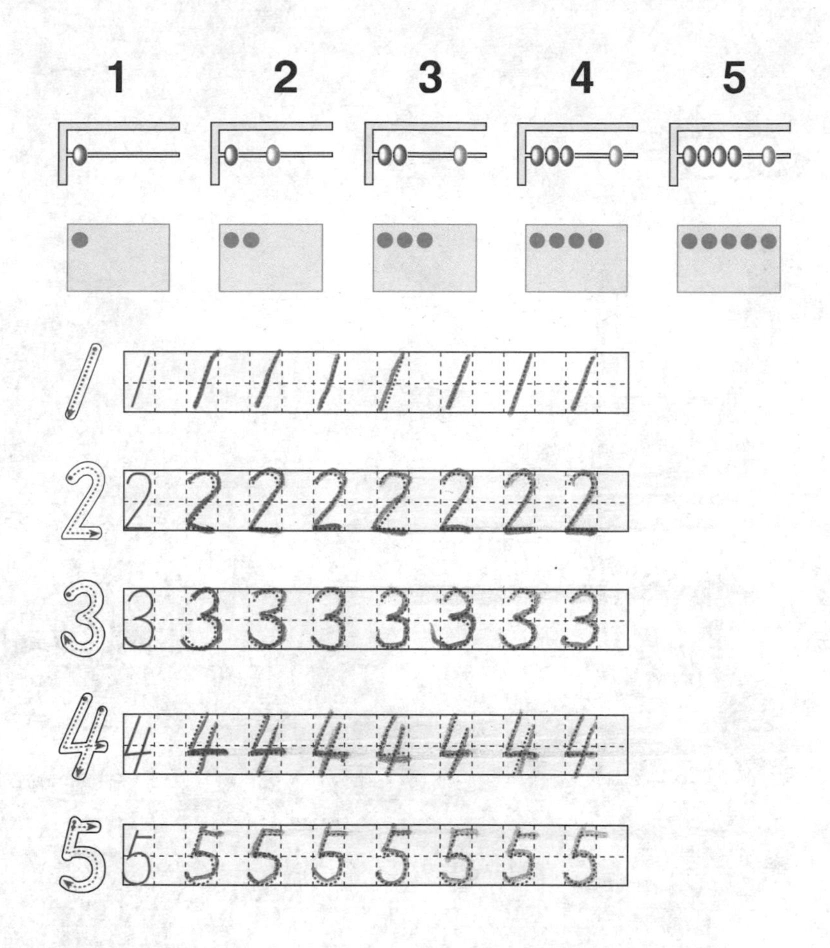
1 2 3 4 5

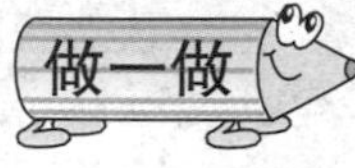
做一做

3

比大小

3　4　3　2

$3=3$	$3>2$	$3<4$
3 等于 3	3 大于 2	3 小于 4

第 1 第 2 第 3 第 4 第 5

1.

5 > 3　　　　3 < 4

2.

从左数，　排第 3 ，　排第 5 。

几和几
4
3 1
3+1=4
4
1 3
1+3=4
4
2 2
2+2=4
做一做
共有3个。
3
2 1
4
3 1
4
2 2

5 / 4 1　　5 / 3 2　　5 / 2 3　　5 / 1 4

做一做

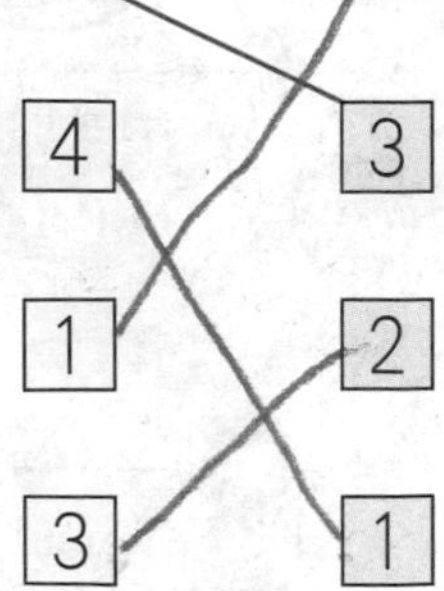

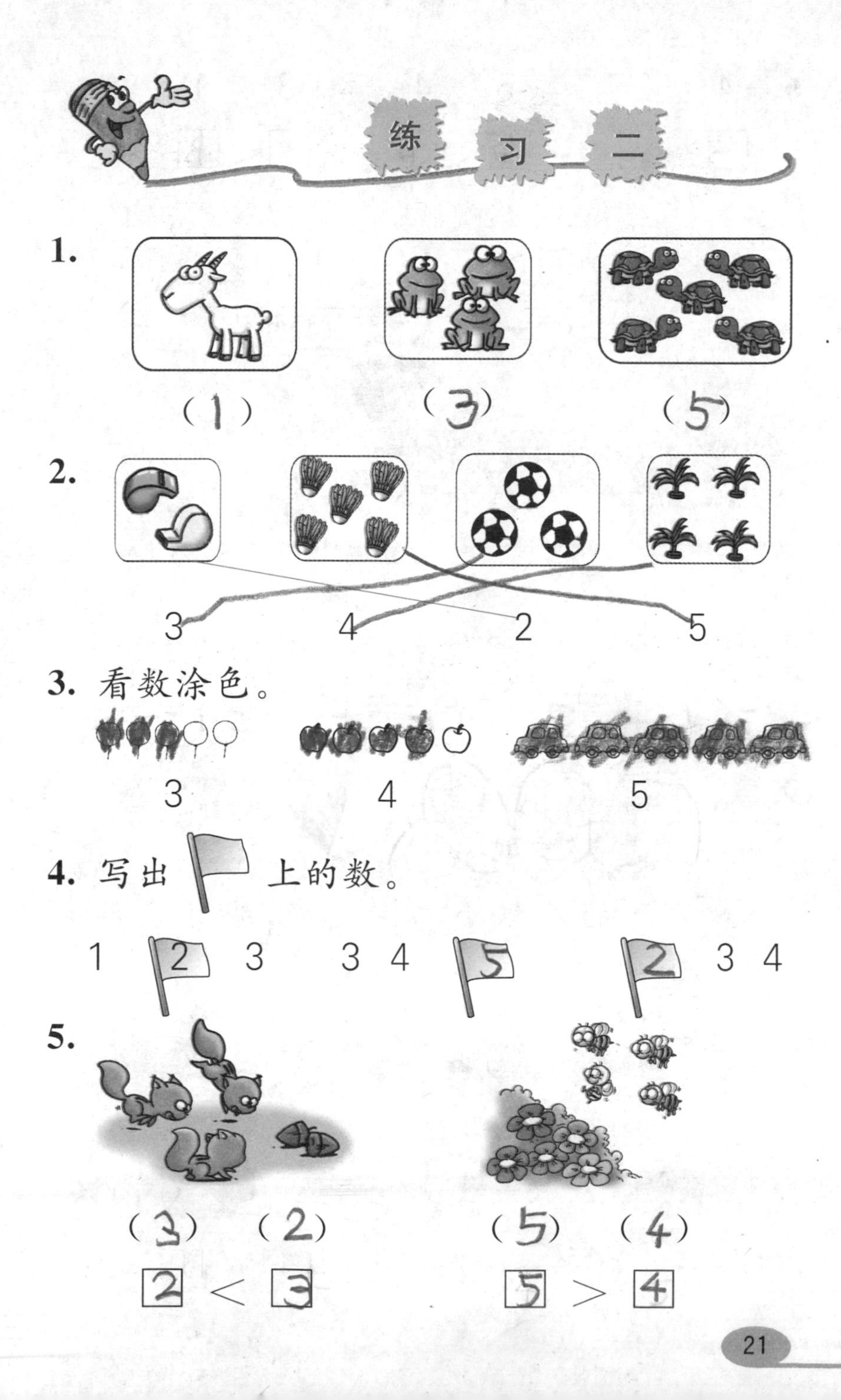

练习二

1.

（ ）（ ）（ ）

2.

3 4 2 5

3. 看数涂色。

3 4 5

4. 写出 上的数。

1 3 3 4 3 4

5.

（ ）（ ）（ ）（ ）

□ ＜ □ □ ＞ □

6. 4　2　　5　4　　3　1

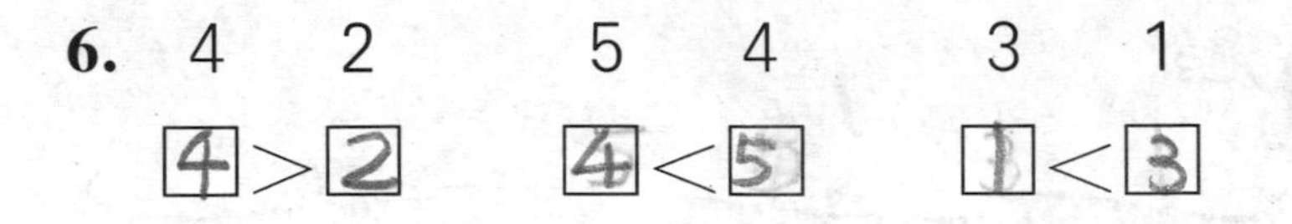

7.

8.

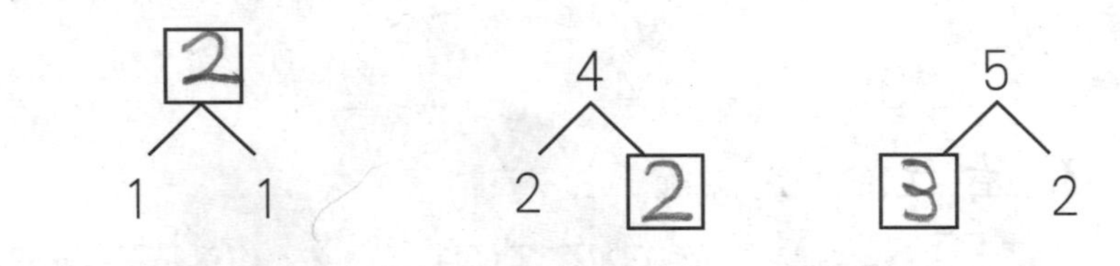

9.

把左边的4只小鸟圈起来，给从左数第4只小鸟涂上颜色。

10.

$$1 + 2 = 3$$

加号　　等号

1 加 2 等于 3

$3 + 1 = 4$

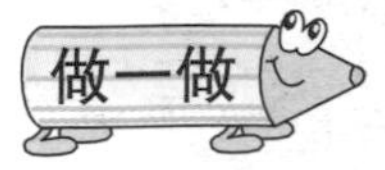

先摆，再说算式。

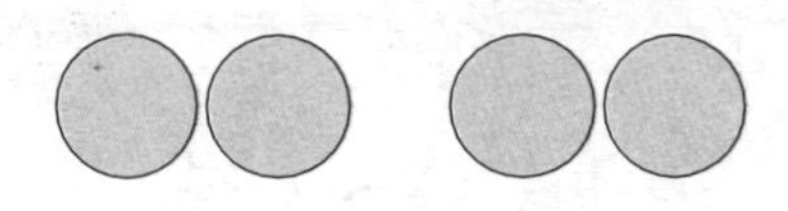

1.

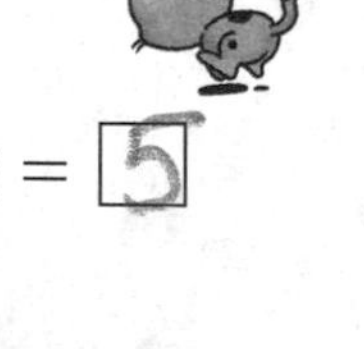

3 + 2 = 5　　　　2 + 3 = 5

2. 摆一摆。

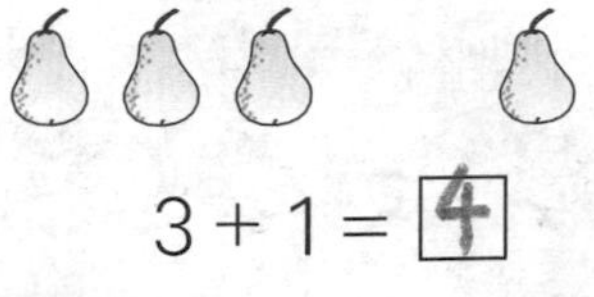

3 + 1 = 4　　　　1 + 3 = 4

3 － 1 ＝ 2

减号

3 减 1 等于 2

4－2＝2

做一做

先摆，再说算式。

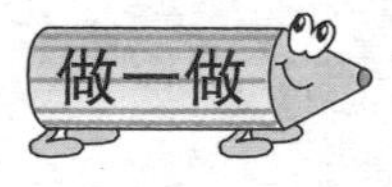

1.

$5-1=$ 4　　　　$5-4=$ 1

2. 摆一摆。

$4-1=$ 3　　　　$4-$ 3 $=$ 1

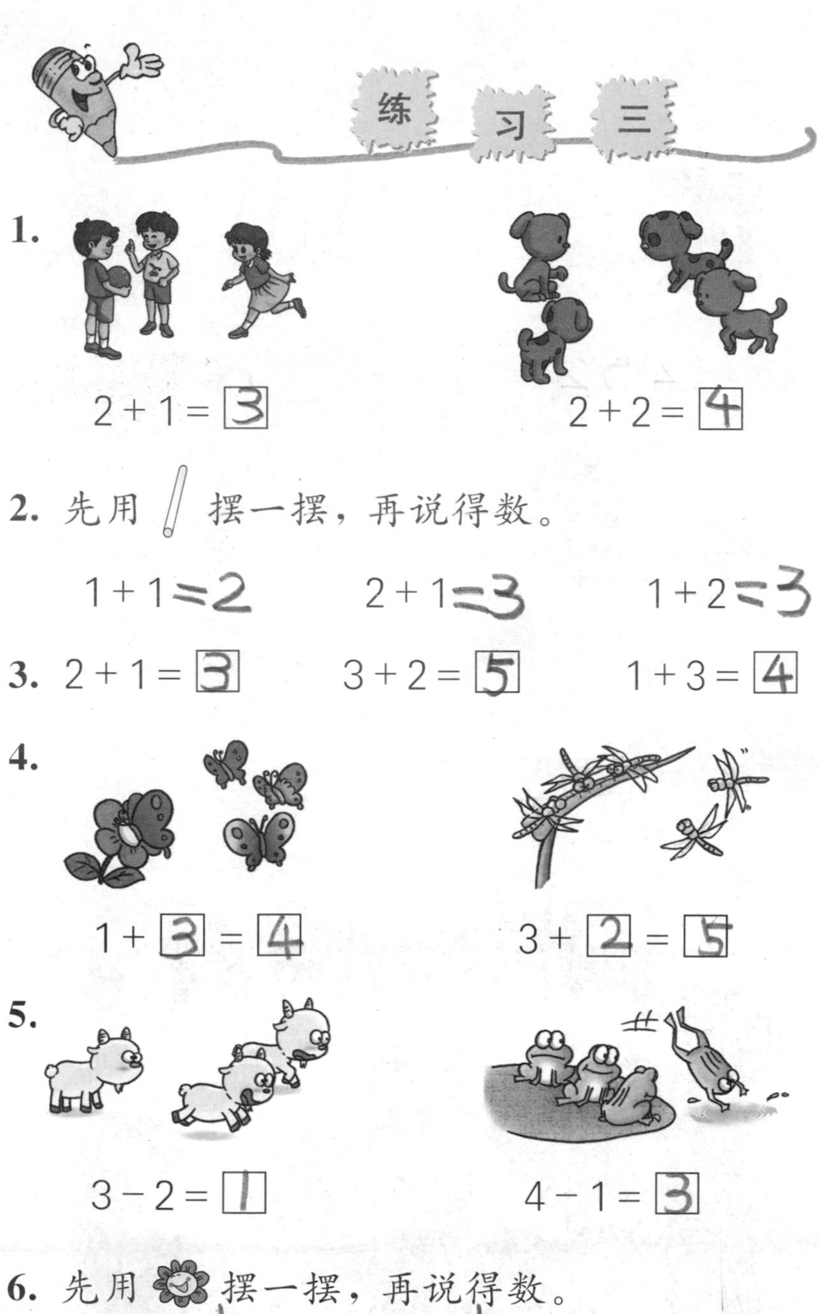

练 习 三

1. $2+1=\boxed{3}$　　　　$2+2=\boxed{4}$

2. 先用小棒摆一摆，再说得数。

$1+1=2$　　$2+1=3$　　$1+2=3$

3. $2+1=\boxed{3}$　　$3+2=\boxed{5}$　　$1+3=\boxed{4}$

4. $1+\boxed{3}=\boxed{4}$　　　　$3+\boxed{2}=\boxed{5}$

5. $3-2=\boxed{1}$　　　　$4-1=\boxed{3}$

6. 先用花片摆一摆，再说得数。

$3-2=1$　　$4-3=1$　　$5-2=3$

7. $3-2=\boxed{1}$ $4-1=\boxed{3}$ $2-1=\boxed{1}$

8.

$4-\boxed{2}=\boxed{2}$ $5-\boxed{1}=\boxed{4}$

9.

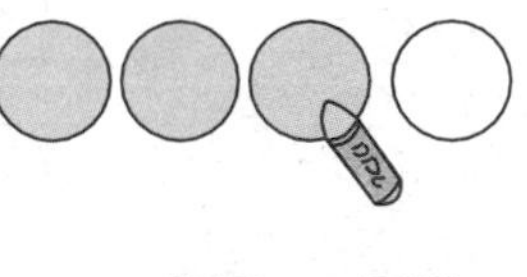

$1+3=\boxed{4}$

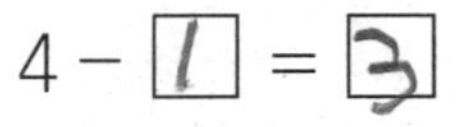

$4-\boxed{1}=\boxed{3}$

10. $2+1=\boxed{3}$ $2+2=\boxed{4}$ $1+4=\boxed{5}$

$3-2=\boxed{1}$ $4-2=\boxed{2}$ $5-4=\boxed{1}$

11.

0
2
1
0
0 1 2 3 4 5
3 − 3 = 0
5−0=
4 + 0 = 4
做一做
3 − 0 =
4 − 0 =
0 + 2 =
0 + 0 =
5 − 4 =
1 − 1 =

练习四

1.

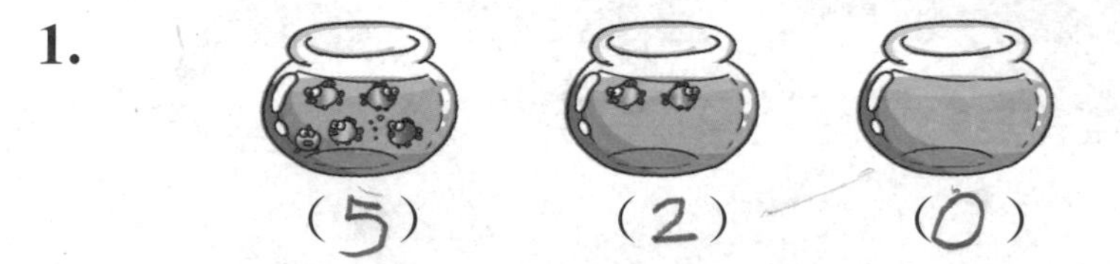

（5）　　（2）　　（0）

2. 从小到大排一排。

0 1 2 3 4 5

3.

3 − 1 = [2]　　3 − [2] = [1]　　3 − [3] = [0]

4.

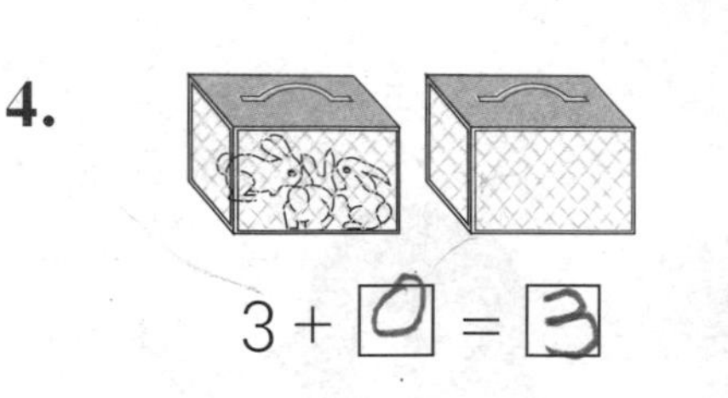

3 + [0] = [3]　　0 + [3] = [3]

5.

4 − [1] = [3]

4 − [2] = [2]

4 − [3] = [1]

4 − [4] = [0]

6. 看谁算得都对。

$2-0=$	$3+0=$	$0+5=$
$5-2=$	$4-4=$	$4+1=$
$3+1=$	$5-3=$	$4-2=$
$5-4=$	$2+3=$	$4-3=$

7.

8.

比　　多____。

比　　少____。

9.

他说的一定对吗？

4 认识物体和图形

说一说，你身边哪些物体是上面这些形状的。

做一做
1.
2.
圆柱。
小明拿错了！
小林拿对了！
茶叶

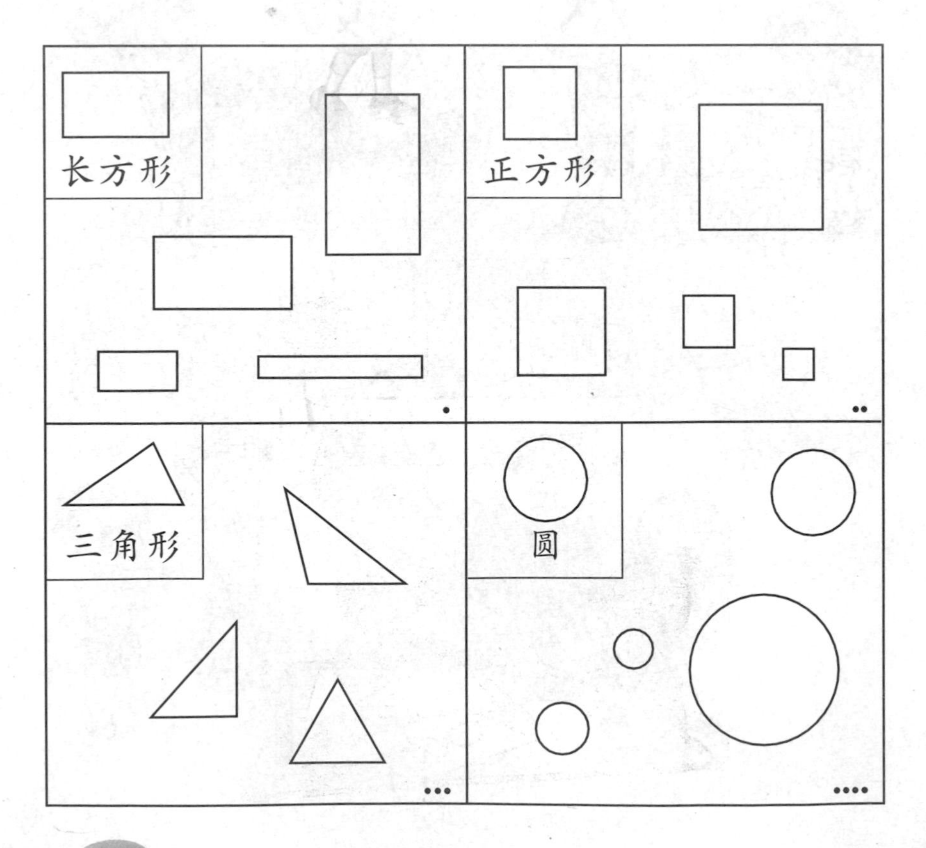
长方形
正方形
三角形
圆

1. 说一说，你身边哪些物体的面是你学过的图形。

台历的这个地方是三角形的。
开关的面是正方形的。

2. 画出自己喜欢的图形。

1. 涂一涂。

2.

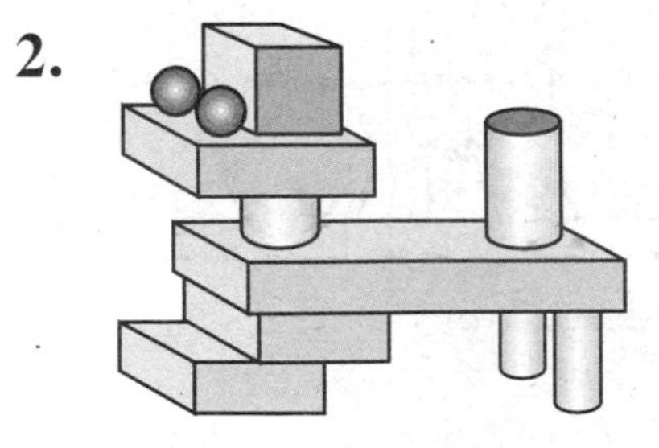

（ 4 ）个

（ 1 ）个

（ 2 ）个

（ 4 ）个

3.

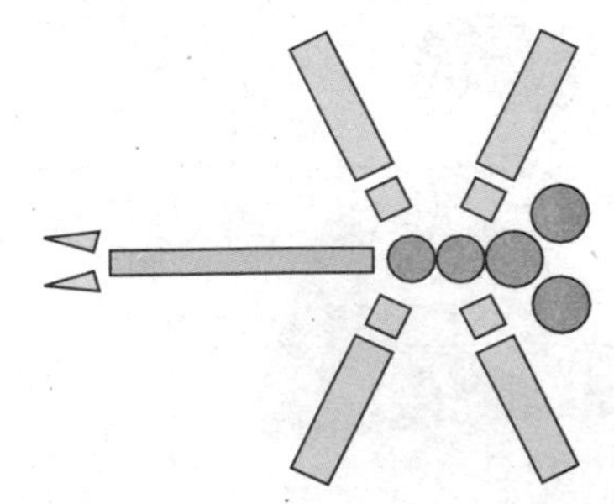

（ 5 ）个

（ 4 ）个

（ 2 ）个

（ 5 ）个

4. 拼一拼。

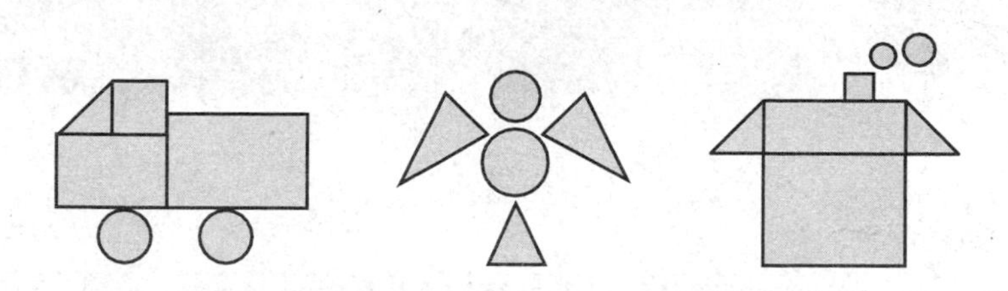

5. 用哪个物体可以画出左边的图形？请把它圈起来。

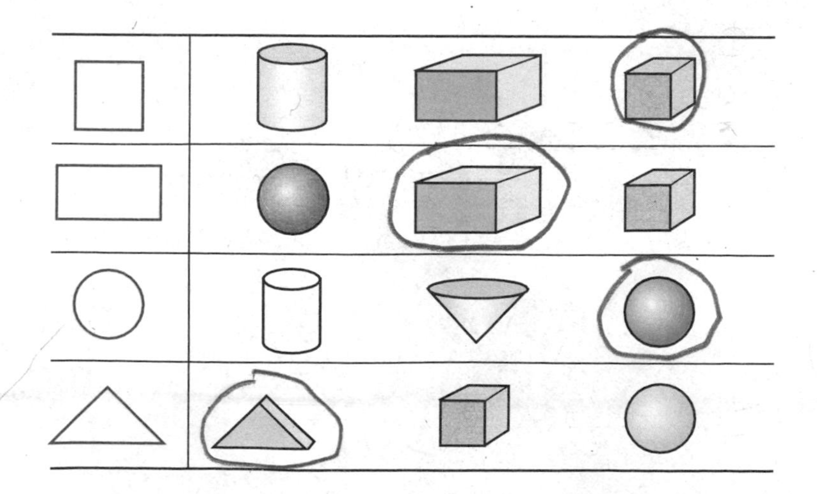

5 分类

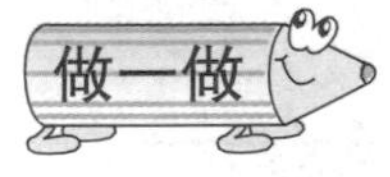

分一分。

还可以怎样分？

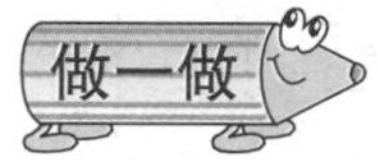

说一说，可以怎样分？

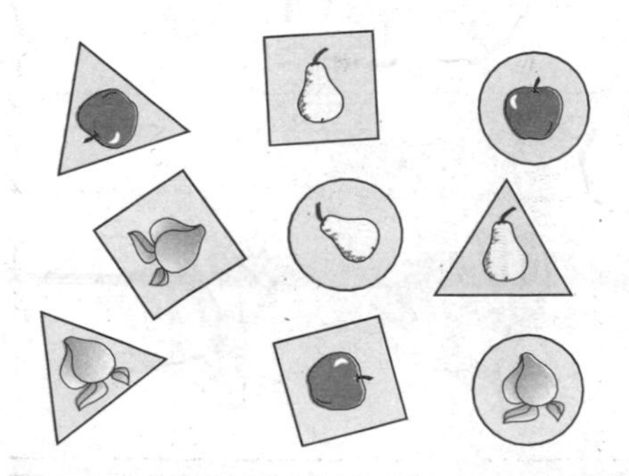

练习六

1. 把同类的圈起来。

2. 把车涂上颜色。

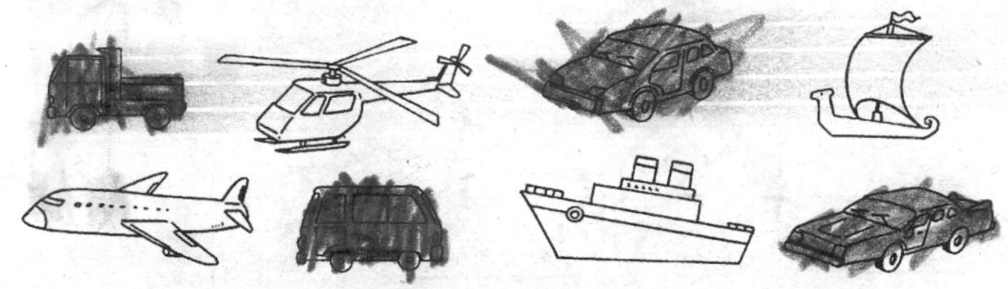

3. 每行中不同的是什么？

4. 想一想：怎样分？

5. 怎样分？

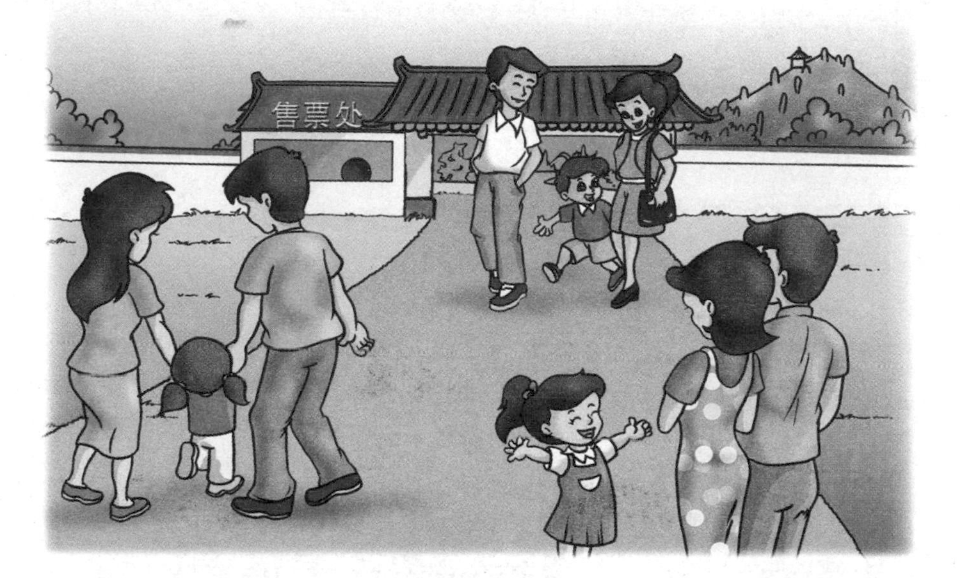

6. 你能想出几种分法？

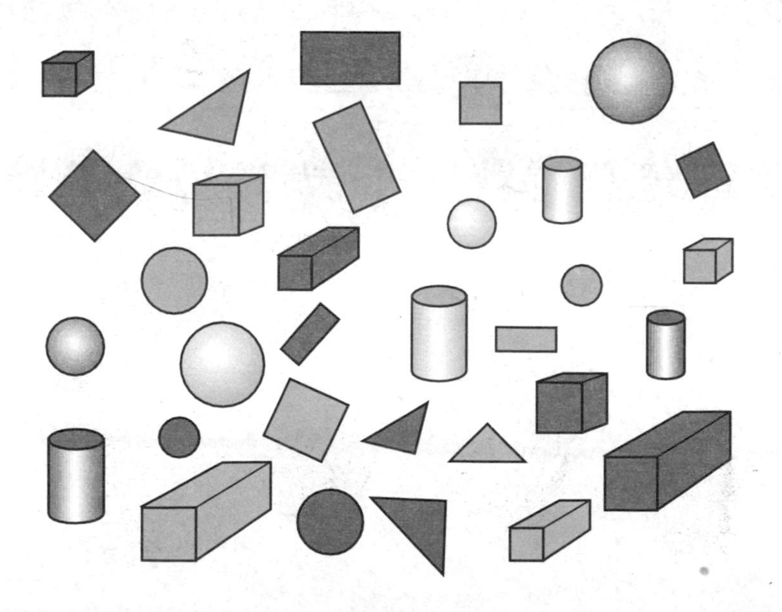

6 6~10的认识和加减法

6 和 7

6

7

用 7 根 摆一摆。

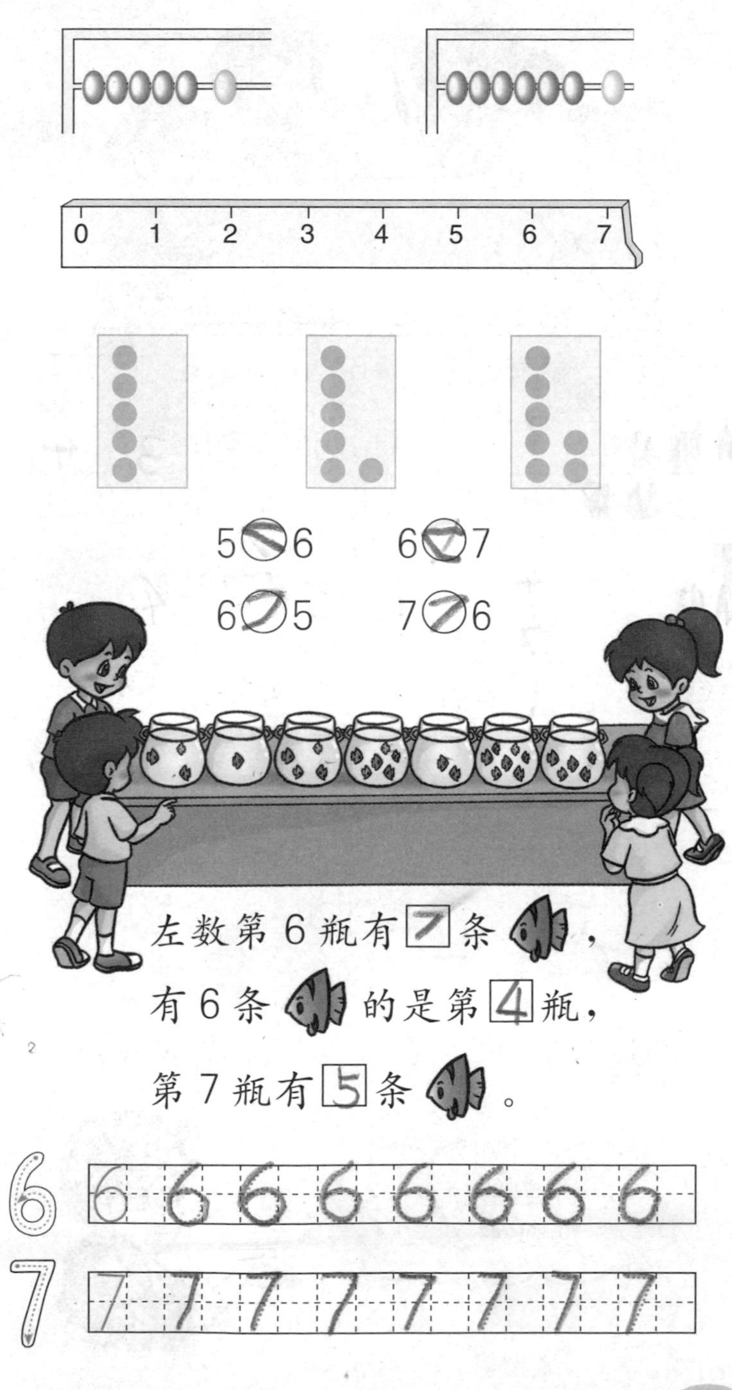

左数第 6 瓶有 7 条，

有 6 条的是第 4 瓶，

第 7 瓶有 5 条。

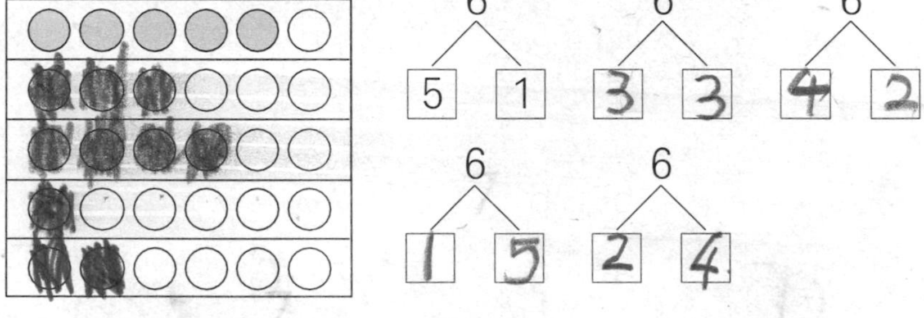

7 个 分成两堆，有几种分法？

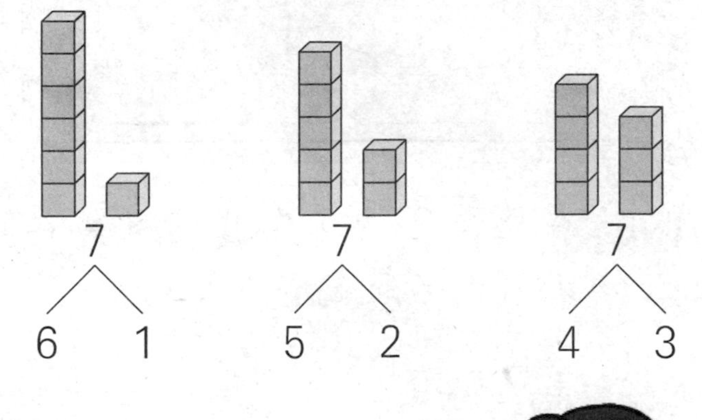

$5+1=6$　　　　$7-1=6$

$1+5=6$　　　　$7-6=1$

摆一摆。

$4+2=\boxed{6}$　　　　$6-2=\boxed{4}$

$2+\boxed{4}=\boxed{6}$　　　　$6-\boxed{4}=\boxed{2}$

$5+2=\boxed{7}$　　　　$7-2=\boxed{5}$

$2+\boxed{5}=\boxed{7}$　　　　$7-\boxed{5}=\boxed{2}$

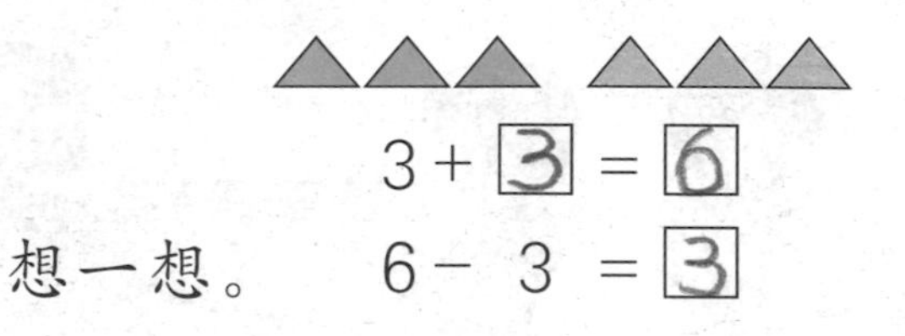

想一想。

$3 + \boxed{3} = \boxed{6}$

$6 - 3 = \boxed{3}$

写算式。

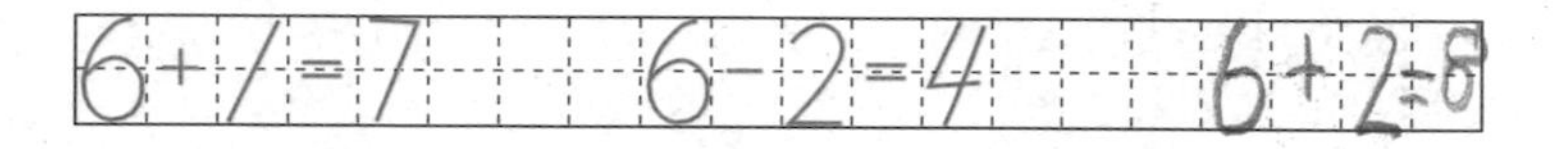

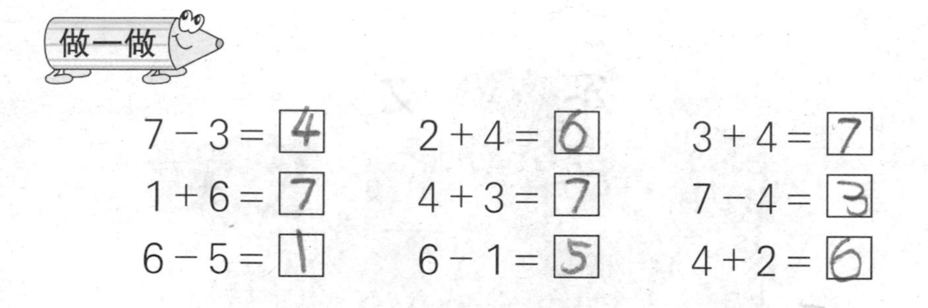

做一做

$7-3=\boxed{4}$	$2+4=\boxed{6}$	$3+4=\boxed{7}$
$1+6=\boxed{7}$	$4+3=\boxed{7}$	$7-4=\boxed{3}$
$6-5=\boxed{1}$	$6-1=\boxed{5}$	$4+2=\boxed{6}$

生活中的数

我7岁了。
我家有
5口人。
我在一年
级4班。
302
我家住
302。

?个
?人
4 + 2 = 6
7个
7 − 3 = 4
做一做
?个
?只
6个
6 − 3 = 3
5 + 2 = 7

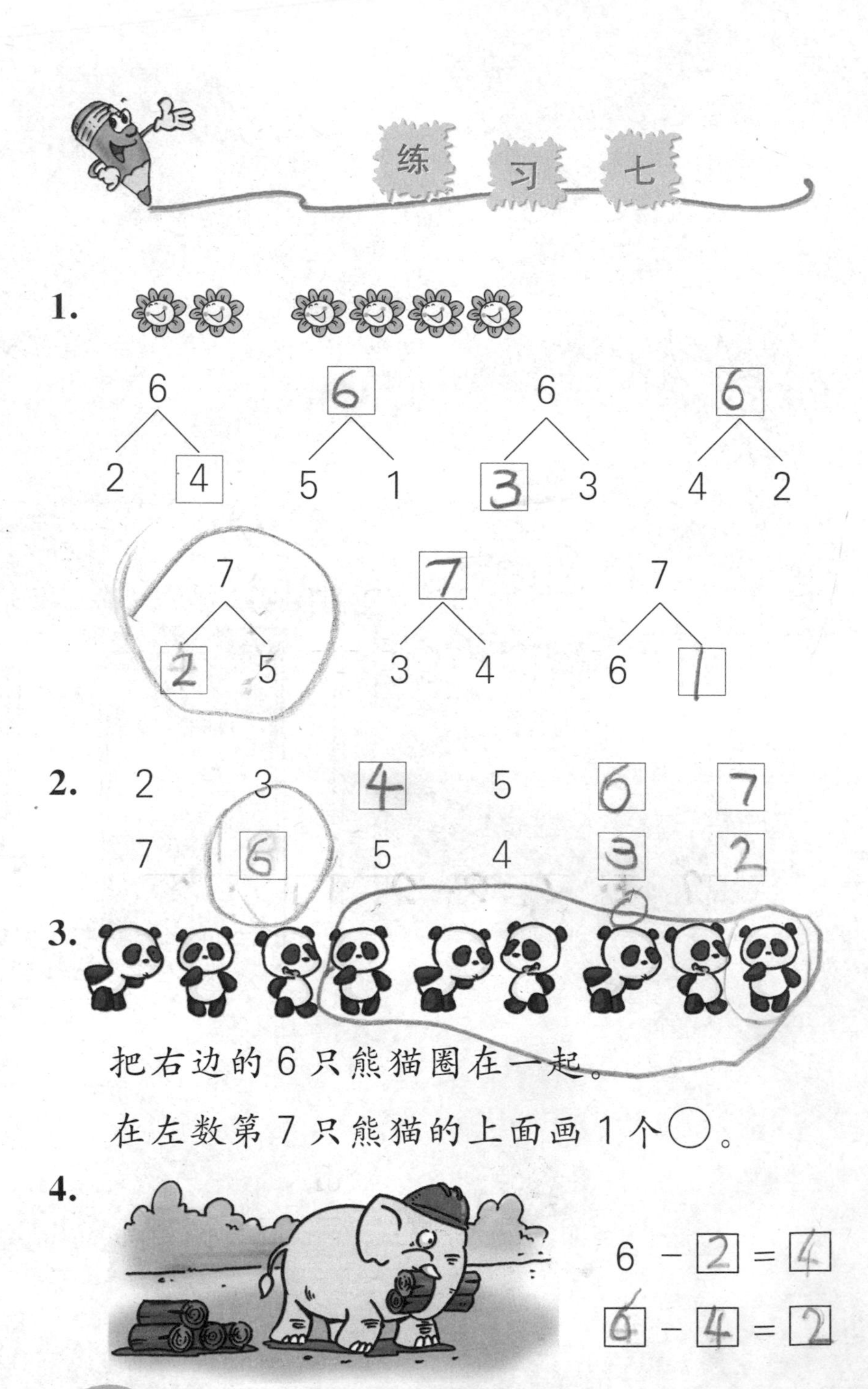

练习七

1\.

6 → 2，□

□ → 5，1

6 → □，3

□ → 4，2

7 → □，5

□ → 3，4

7 → 6，□

2\. 2　3　□　5　□　□

7　□　5　4　□　□

3\. 把右边的 6 只熊猫圈在一起。

在左数第 7 只熊猫的上面画 1 个○。

4\. 6 － □ ＝ □

□ － □ ＝ □

5.

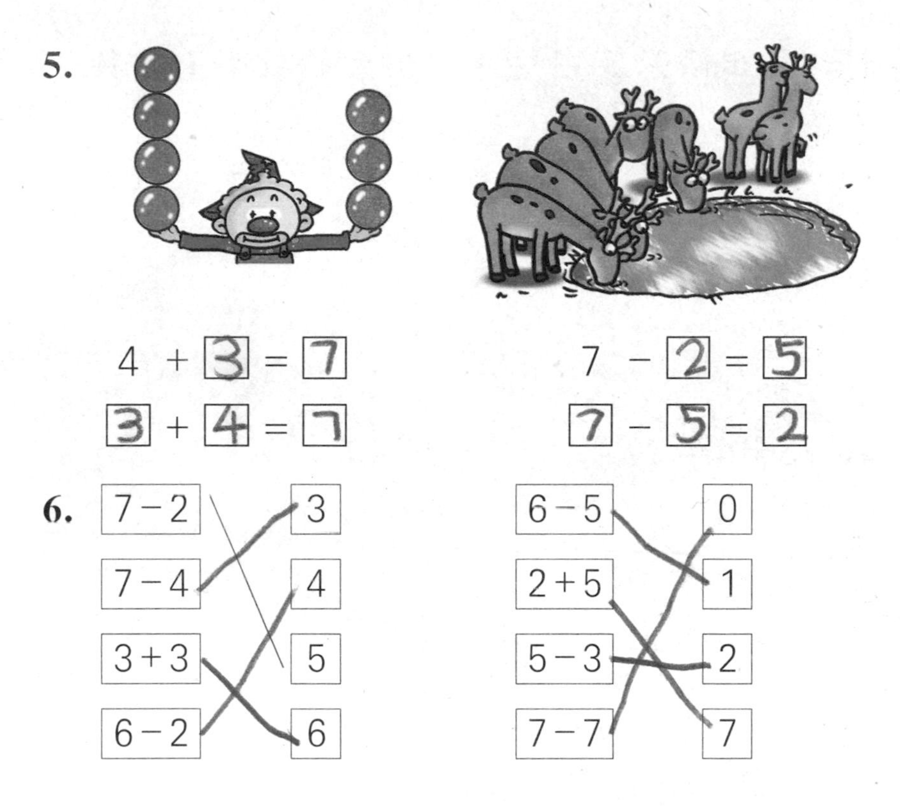

7. $3+2$　　$6-3$　　$1+5$

8. 哪两张卡片上点子的数相加得 6？

哪两张卡片上点子的数相加得 7？

9. 拿出两张数字卡片，用大的数减小的数。

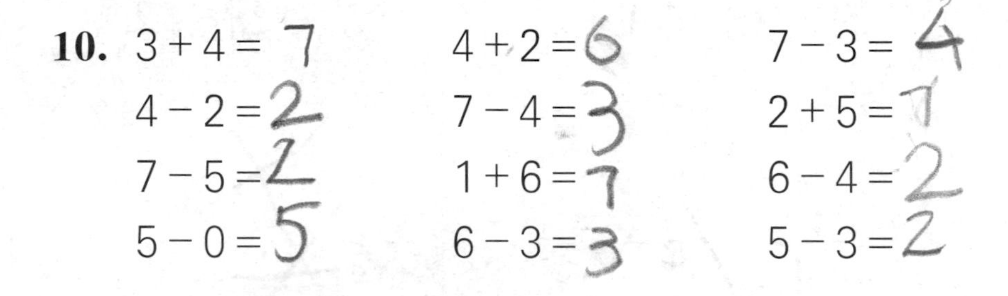

10.

3 + 4 = 7	4 + 2 = 6	7 − 3 = 4
4 − 2 = 2	7 − 4 = 3	2 + 5 = 7
7 − 5 = 2	1 + 6 = 7	6 − 4 = 2
5 − 0 = 5	6 − 3 = 3	5 − 3 = 2

11.

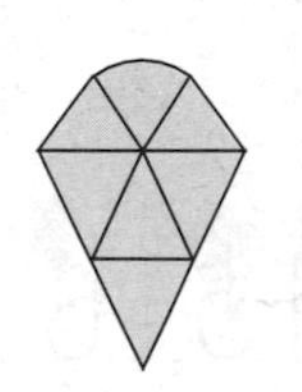

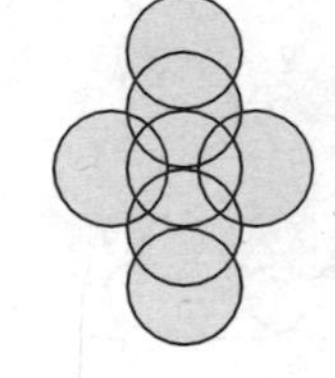

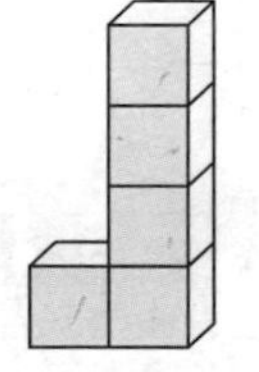

△（ 6 ）个　○（ 7 ）个　□（ 5 ）个

12.

6 + 1 = 7

5 + 1 = 6；5 + 2 = 7

4 + 3 = 7；4 + 2 = 6；4 + 1 = 5

3 + 2 = 5；3 + 4 = 7；3 + 1 = 4；3 + 3 = 6

13.
?只
7只
7 − 3 = 4
?只
6只
6 − 2 = 4
6条
?条
6 + 1 = 7

14.

$4 + \boxed{2} = \boxed{6}$　　　$7 \ominus \boxed{1} = \boxed{6}$

15. 用下面的数字卡片，你能摆出几种算式？

2　5　7　0　6　3　1　4

$\boxed{2} + \boxed{2} = \boxed{4}$　　$\boxed{4} - \boxed{4} = \boxed{0}$

$\boxed{0} + \boxed{3} = \boxed{3}$　　$\boxed{6} - \boxed{5} = \boxed{1}$

$\boxed{5} + \boxed{1} = \boxed{6}$　　$\boxed{2} - \boxed{1} = \boxed{1}$

$\boxed{1} + \boxed{1} = \boxed{2}$　　$\boxed{3} - \boxed{1} = \boxed{2}$

摆一摆，填一填。

（5）个　　（6）个　　（7）个

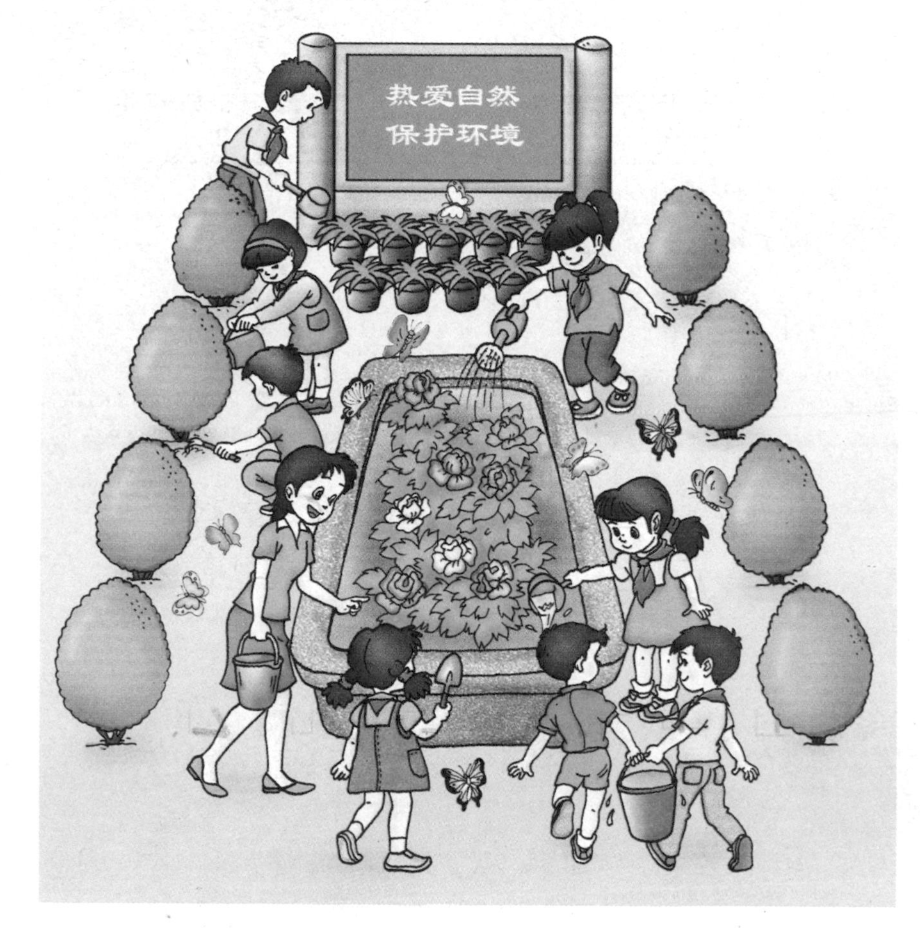

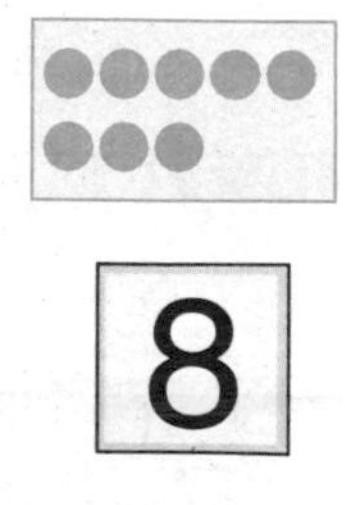

摆 8 个●。　　摆 9 个▲。

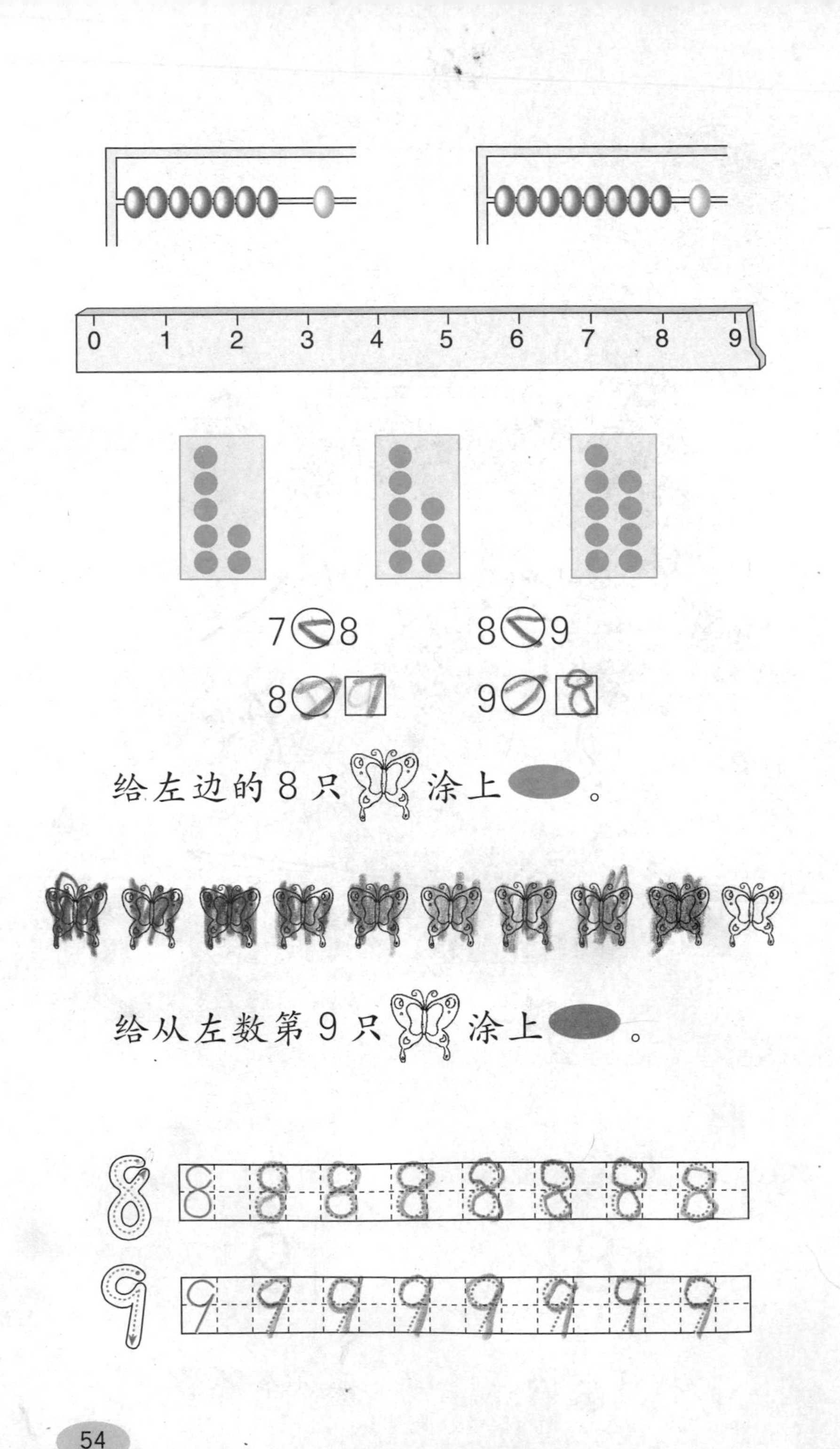
0 1 2 3 4 5 6 7 8 9
7○8
8○9
8○□
9○□
给左边的8只涂上。
给从左数第9只涂上。
8
9

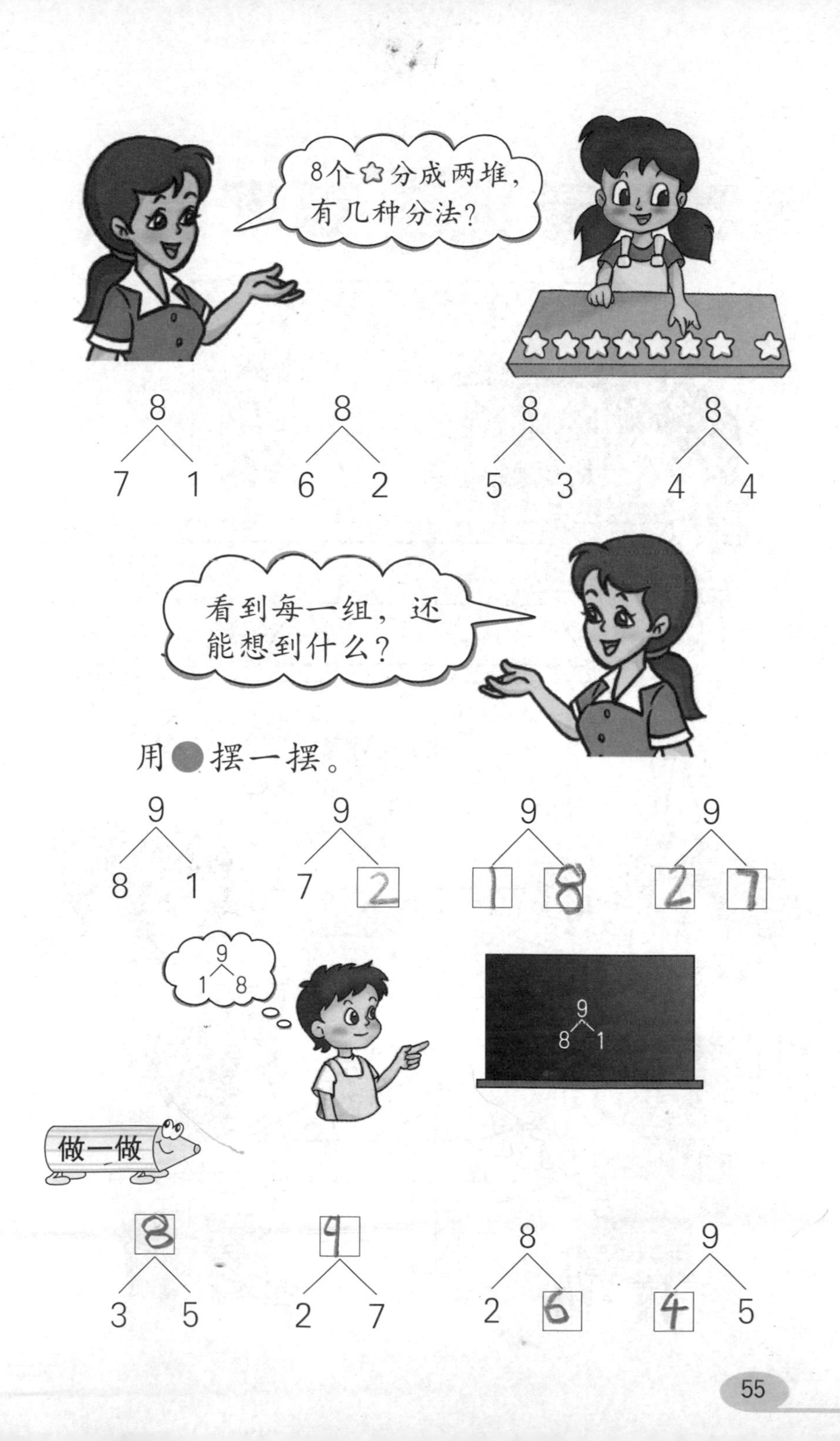
8个☆分成两堆，
有几种分法？
8
7 1
8
6 2
8
5 3
8
4 4
看到每一组，还
能想到什么？
用●摆一摆。
9
8 1
9
7 2
9
1 8
9
2 7
9
1 8
9
8 1
做一做
8
3 5
9
2 7
8
2 6
9
4 5

好好学习
天天向上
6+2=8
2+6=8
6+2=8
6+2=8 8-2=6
2+6=8 8-6=2
8-6=2
8-2=6
8-6=2

$7+2=\square$　　　　$9-2=\square$

$2+7=\square$　　　　$9-7=\square$

想一想。

$5+3=\square$　　　　$8-3=\square$

$3+5=\square$　　　　$8-5=\square$

生活中的数

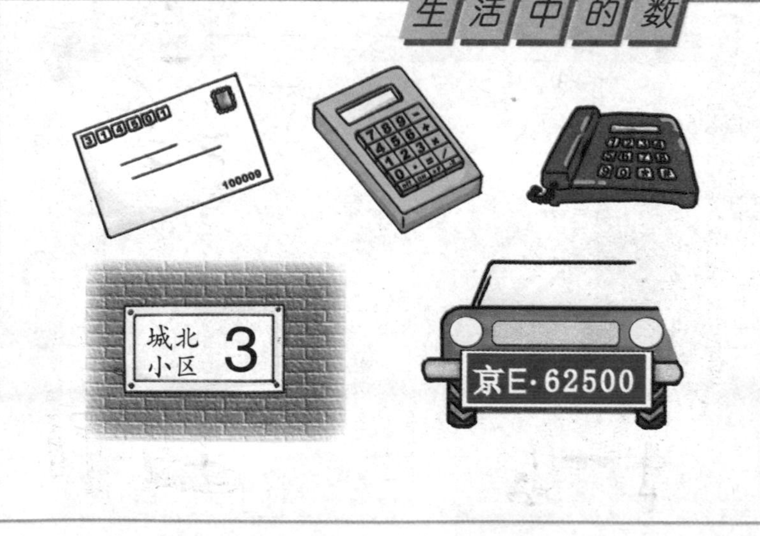

6个
?个
6 + 2 = 8
?只
9只
9 − 3 = 6
?只
做一做
8只
5 + 3 = 8
7只
?只
2 + 7 = 9

1.

2. 按从1到9的顺序连线。

3.

8 → 3, [5]	[8] → 4, 4
8 → 2, [6]	[8] → 1, 7

4.

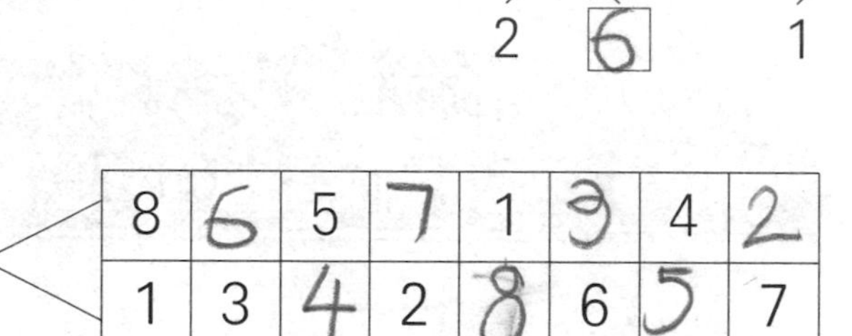

9 分成：

8	6	5	7	1	3	4	2
1	3	4	2	8	6	5	7

5.

🐶	(9) 只
🐰	(8) 只

[9] > [8]

6. 找朋友。

7.

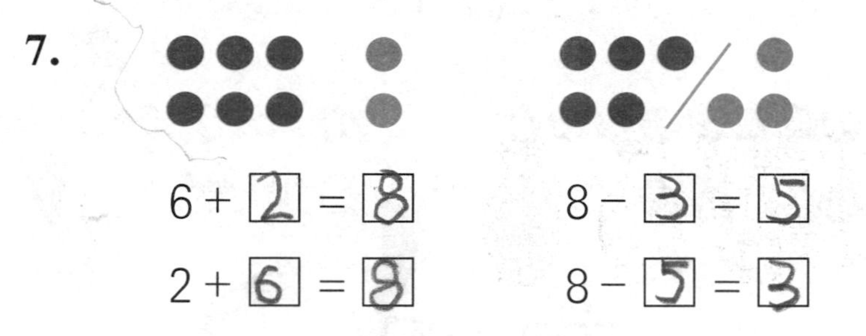

$6 + \square = \square$　　　　$8 - \square = \square$

$2 + \square = \square$　　　　$8 - \square = \square$

8.

$7 + 2 = \square$　　　　$9 - 2 = \square$

$\square + \square = \square$　　　　$\square - \square = \square$

9. $3 + 5$　　　$8 - 6$　　　$4 + 5$

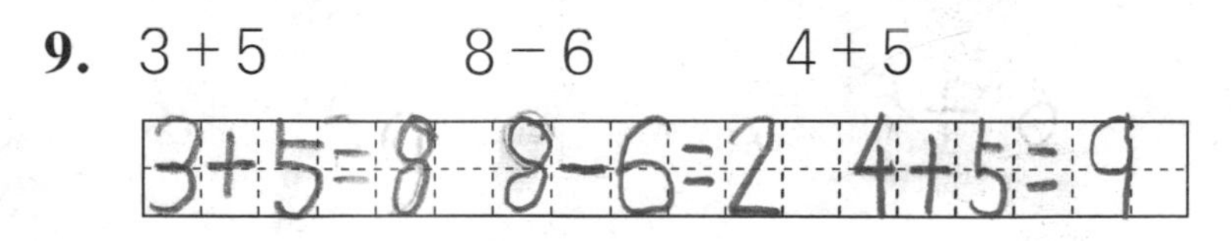

10. 哪两张卡片上的数相加得 8？

哪两张卡片上的数相加得 9？

11.

比 多 3 。
比 少 3 。

12.

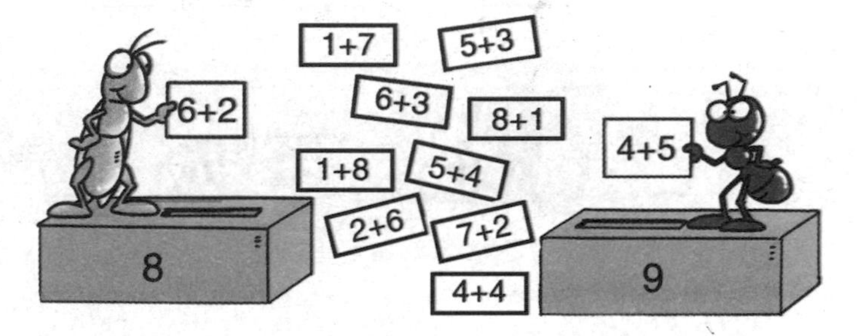

6+2
1+7
5+3
6+3
8+1
4+5
1+8
5+4
2+6
7+2
4+4
8
9

13.

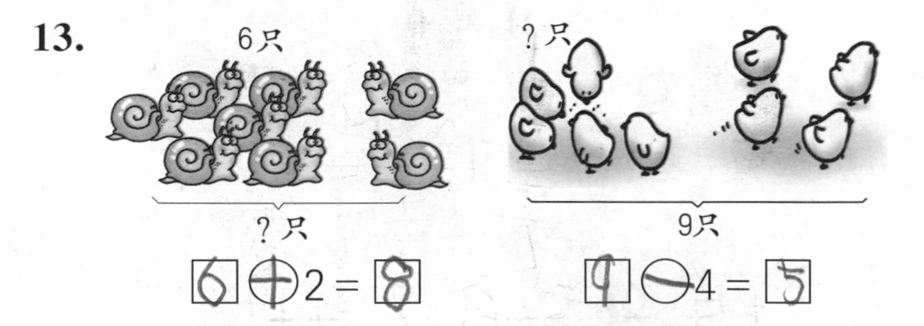

6只
?只
6 + 2 = 8
?只
9只
9 − 4 = 5

14.

?只
9只
9 − 3 = 6
7只
?只
7 + 2 = 9

15.
你先算对，
扑克归你。
8－5=3
16.
你对了。
4
9-5
7-5
5-1
2+4
3+1
4+3
8-6
4-0
6+2
在□里填上合适的数。
7
8
6

10

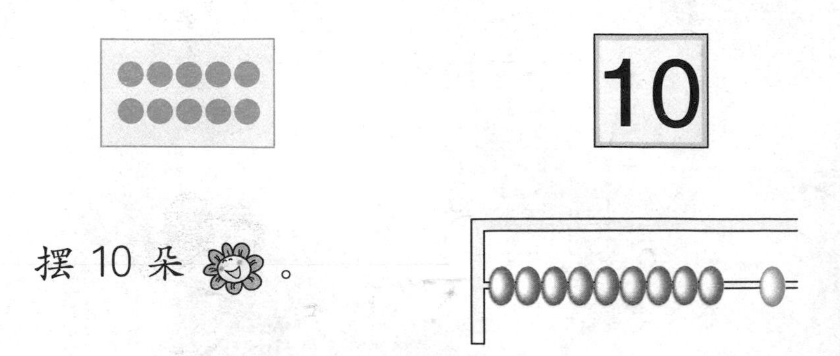

摆 10 朵 。

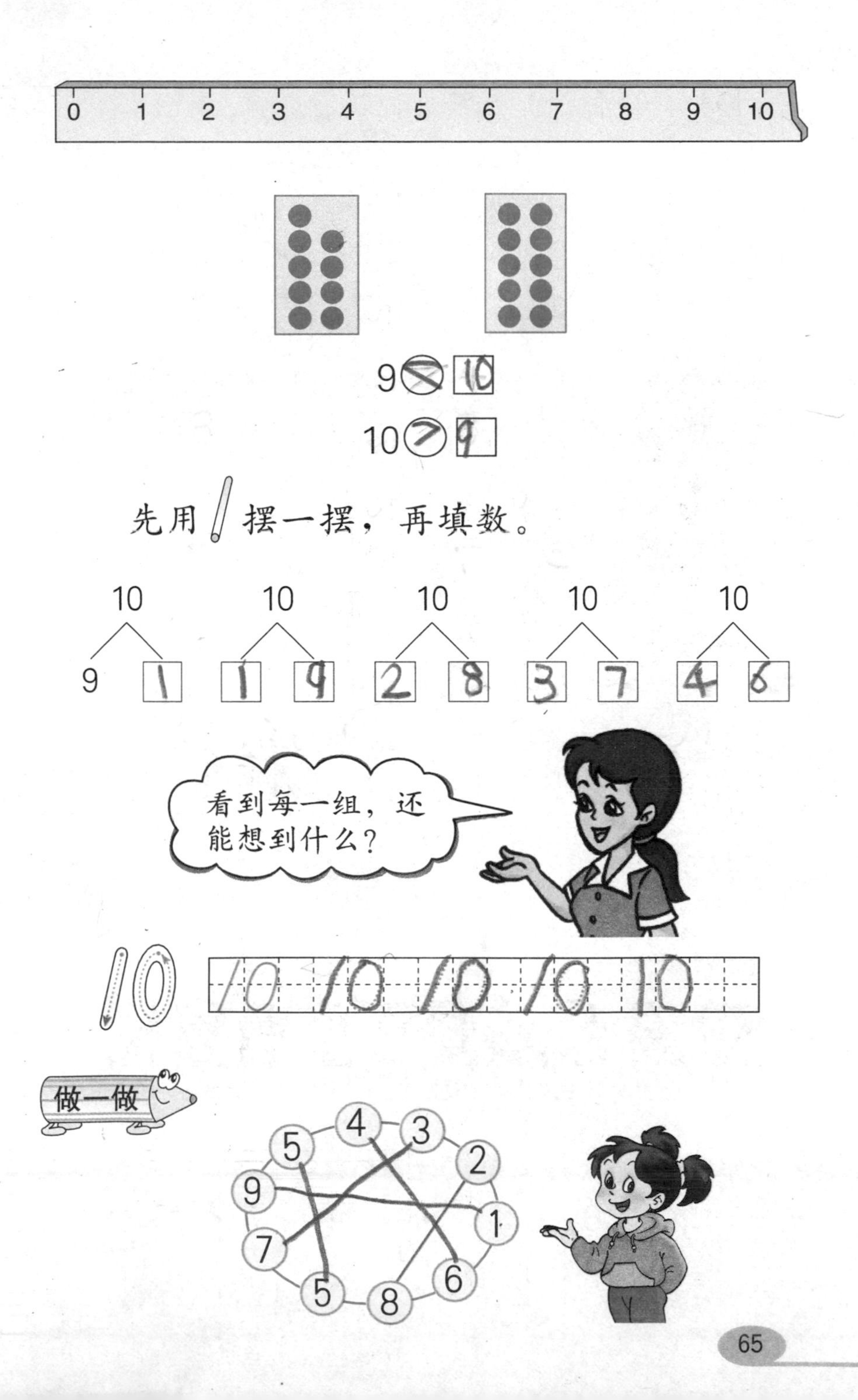

0 1 2 3 4 5 6 7 8 9 10
9
10
先用 摆一摆，再填数。
10 10 10 10 10
9
看到每一组，还能想到什么？
做一做
5 4 3 2 9 1 7 5 8 6

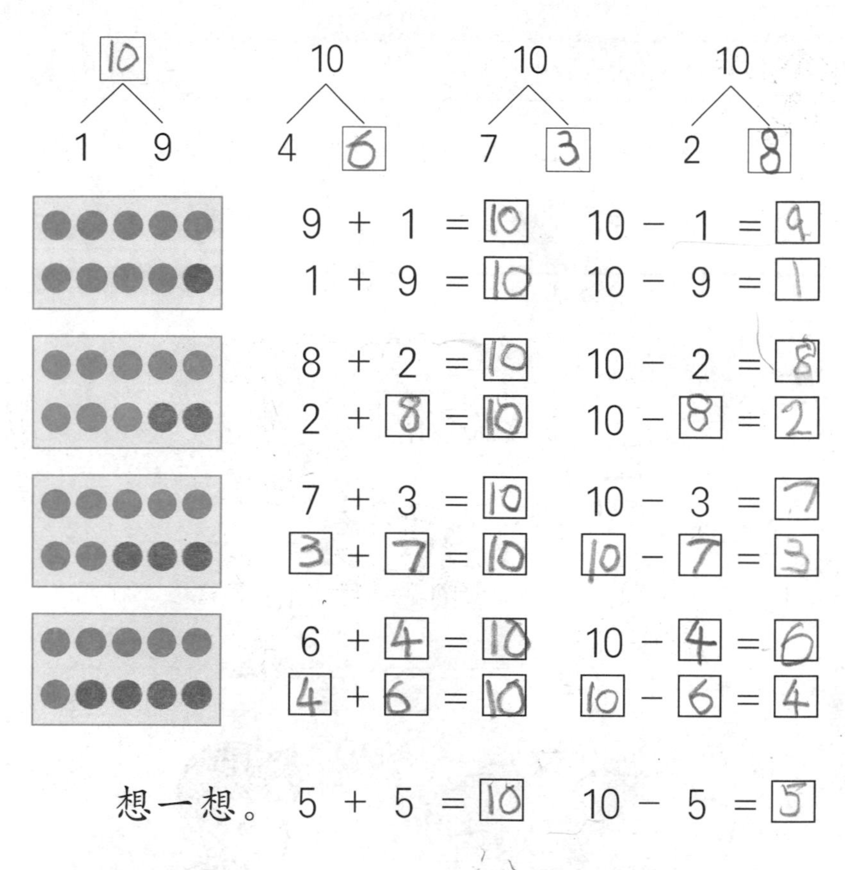

$9 + 1 = 10$　　$10 - 1 = 9$

$1 + 9 = 10$　　$10 - 9 = 1$

$8 + 2 = 10$　　$10 - 2 = 8$

$2 + 8 = 10$　　$10 - 8 = 2$

$7 + 3 = 10$　　$10 - 3 = 7$

$3 + 7 = 10$　　$10 - 7 = 3$

$6 + 4 = 10$　　$10 - 4 = 6$

$4 + 6 = 10$　　$10 - 6 = 4$

想一想。$5 + 5 = 10$　　$10 - 5 = 5$

1. 找朋友。

2.

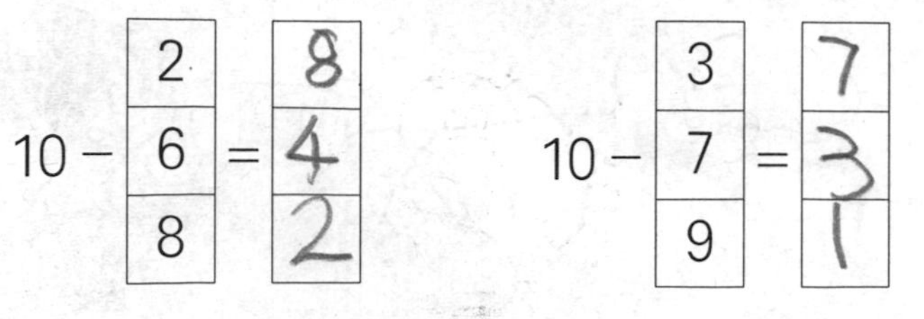

$10 - 2 = 8$, $10 - 6 = 4$, $10 - 8 = 2$

$10 - 3 = 7$, $10 - 7 = 3$, $10 - 9 = 1$

1.

0　1　2　3　4　[5]　[6]　7　8　[9]　10

2.

3.

10 <

9	2	7	4	5	6	3	8	1
1	8	3	6	5	4	7	2	9

4.

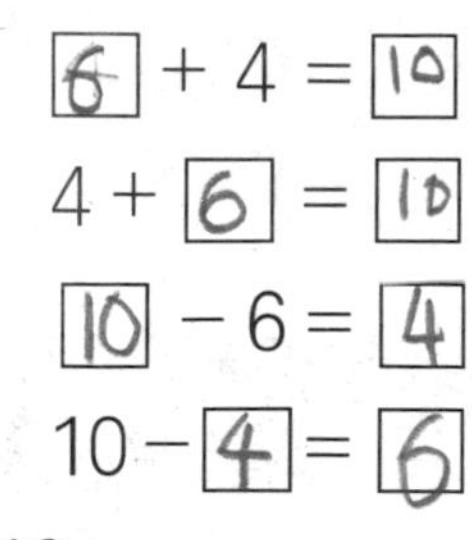

$[6] + 4 = [10]$

$4 + [6] = [10]$

$[10] - 6 = [4]$

$10 - [4] = [6]$

5. 哪两张卡片上的数相加得 10？

6.

7.

□10 ○− □3 = □7　　　□8 ○+ □2 = □10

8.

△△△△△△△

○○○○○○○○○○

○比△多 3 。

△比○少 3 。

9. 在○里填上“>”、“<”或“=”。

3 + 6 ○= 9　　2 + 4 ○< 7　　7 + 3 ○> 9

10 − 4 ○< 8　　9 − 3 ○> 5　　9 + 0 ○= 9

10.

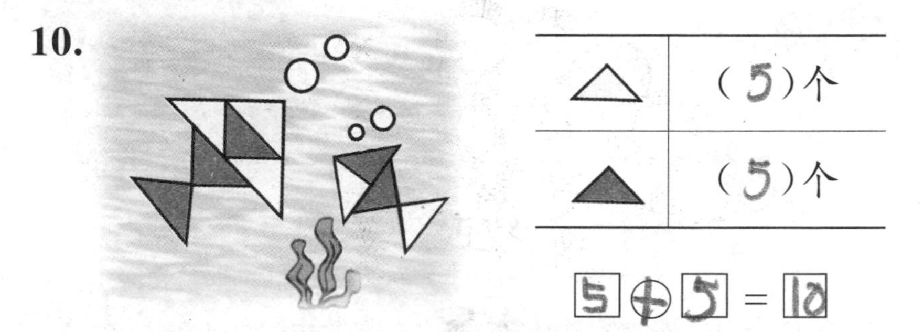

△	（5）个
▲	（5）个

5 + 5 = 10

11. 图中哪些可以用 $7+3=10$ 表示？

把0、1、2、3、4、5、6、7、8、9十个数填在□里，每个数只用一次。

□ + □ = □ + □ = □ + □ = □ + □ = □ + □

（手写：0 + 9 = 1 + 8 = 2 + 7 = 3 + 6 = 4 + 5，每组下写 9）

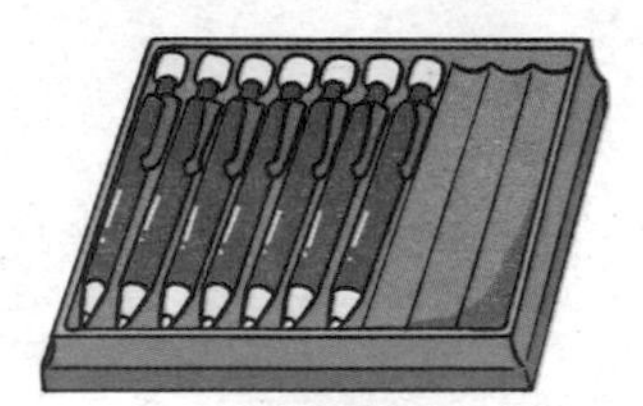

7 + (3) = 10

再画几面 就是 8 面 ?

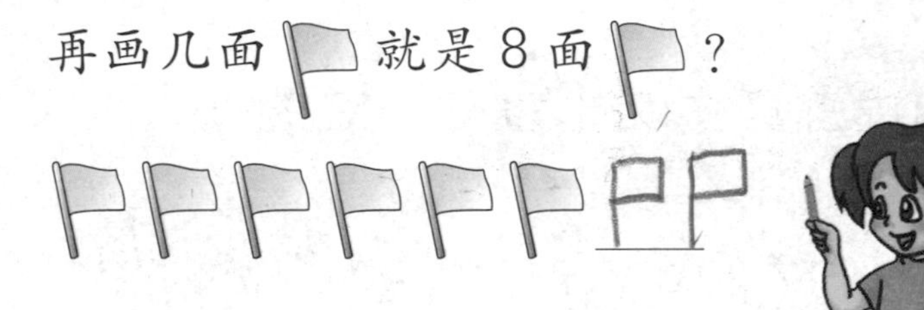

6 + (2) = 8

1.

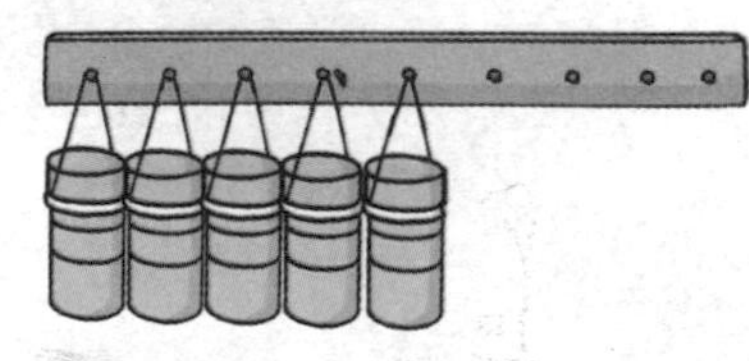

7 + (1) = 8　　5 + (4) = 9

2.

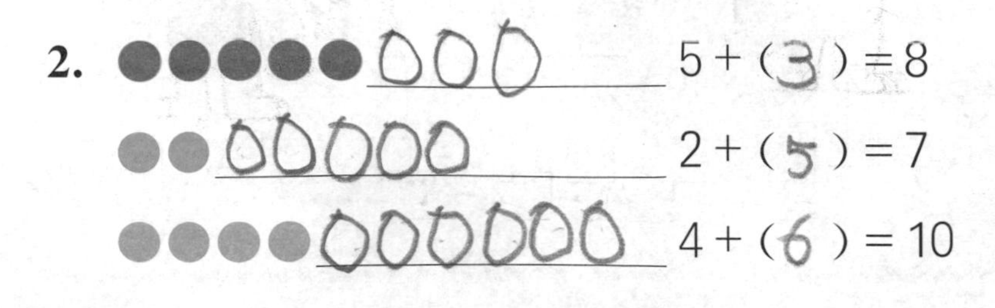

5 + (3) = 8

2 + (5) = 7

4 + (6) = 10

1. 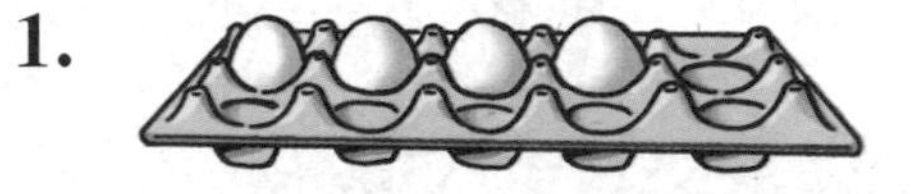

$4 + (\ 6\ ) = 10$

$3 + (\ 4\ ) = 7$

2. $3 + (\ 2\ ) = 5$　　$6 + (\ 3\ ) = 9$

$2 + (\ 6\ ) = 8$　　$4 + (\ 3\ ) = 7$

$4 + (\ 4\ ) = 8$　　$5 + (\ 2\ ) = 7$

$2 + (\ 4\ ) = 6$　　$6 + (\ 4\ ) = 10$

3. 

3 + 7 = 10

$$5 + 2 + 1 = 8$$

7

$$8 - 2 - 2 = 4$$

6

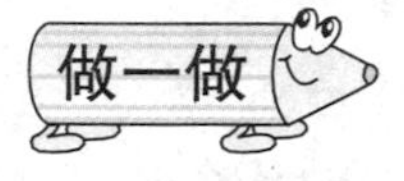

先摆一摆，再填数。

?

$4 + 3 + \boxed{1} = \boxed{8}$　　$10 - 3 - \boxed{5} = \boxed{2}$

1.

$2+3=$ 5

$5+4=$ 9

$2+3+4=$ 4

2.

$3+$ 4 $+$ 2 $=$ 9

3. $3+4+1=$　　　　$7+2+1=$

$2+2+4=$　　　　$6+4+0=$

$4+3+2=$　　　　$5+0+3=$

4. $1+3+6$　　　　$2+4+3$

1+3+6=10　2+4+3=8

5.

8辆

$8-4-\boxed{2}=\boxed{2}$

10块

$10-3-\boxed{1}=\boxed{6}$

6. $8-5-3=$　　　　$5-2-1=$

$9-5-4=$　　　　$10-2-7=$

$10-6-2=$　　　　$8-0-6=$

7. 填上数，使横行、竖行的三个数相加都得9。

	1	
2	3	4
	5	

8. $7-1-4$　　　　$10-3-6$

$7-1-4=2$　$10-3-6=1$

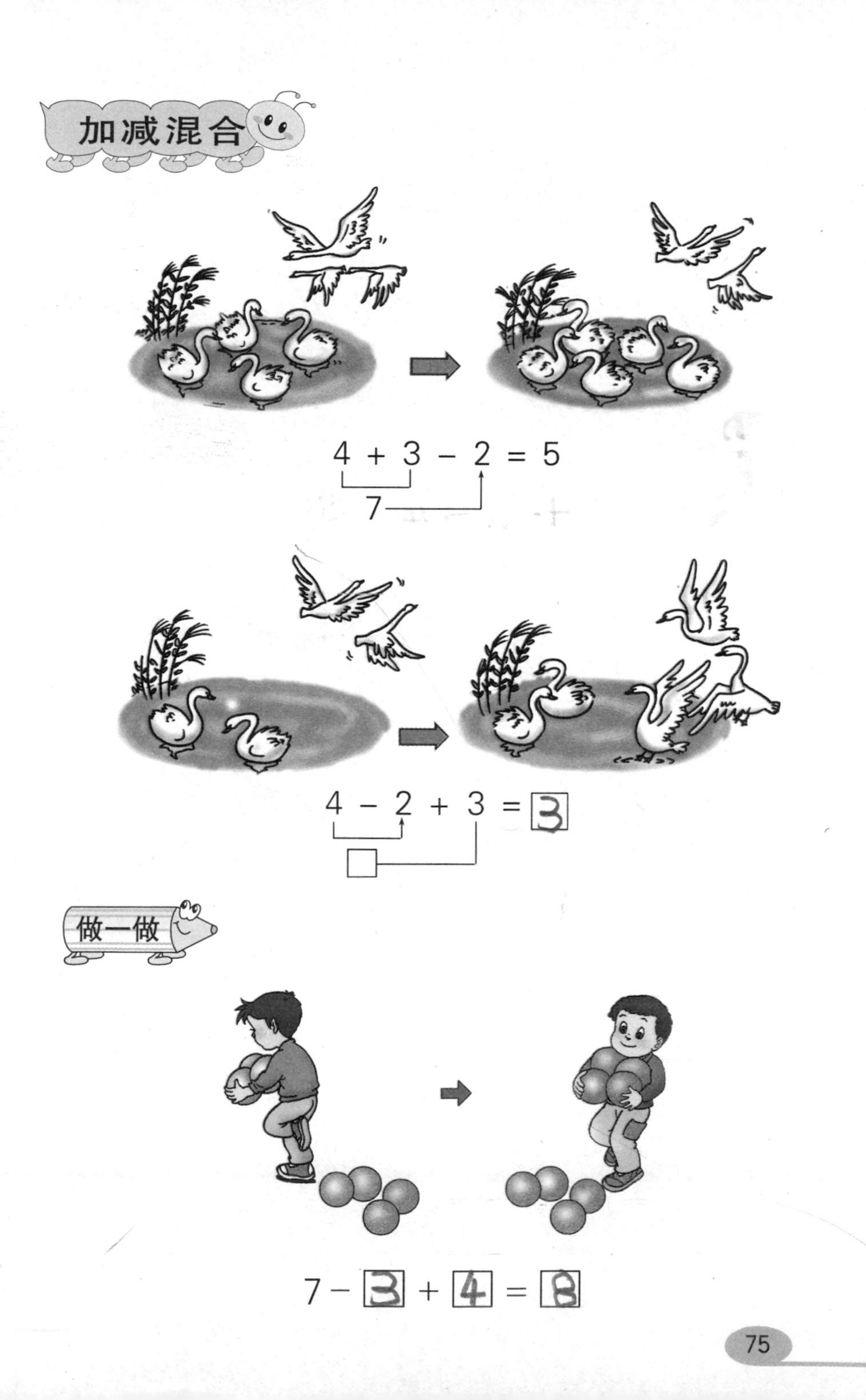
加减混合
4 + 3 − 2 = 5
7
4 − 2 + 3 = 3
做一做
7 − 3 + 4 = 8

练习十二
1.
6 ○ □ ○ □ = □
2.
6
5
7
9
2+3+4
9-6+3
9-2-2
9+1-3
3. 4+5-3
3+7-4
4. 1+4+5=
2+7+1=
10-4-4=
8-1-3=
7-6+5=
2+6-4=

5.

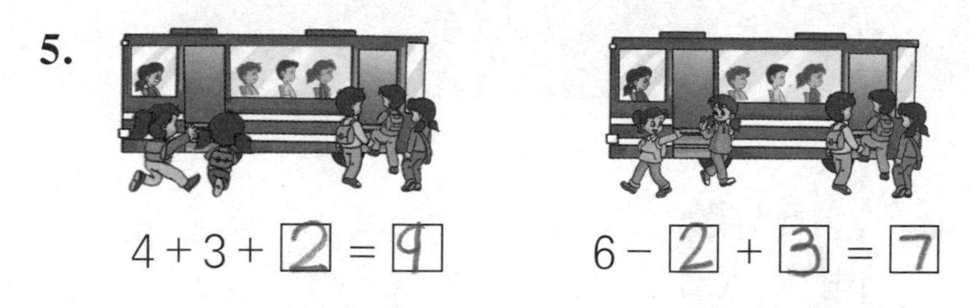

$4+3+\boxed{2}=\boxed{9}$　　　　$6-\boxed{2}+\boxed{3}=\boxed{7}$

6. 横行、竖行上的三个数相加，各得多少？

	3		
2	1	5	(7)
	4		
	(8)		

1	6	3	(10)
4	2	2	(8)
3	1	5	(9)
(8)	(10)	(10)	

7.

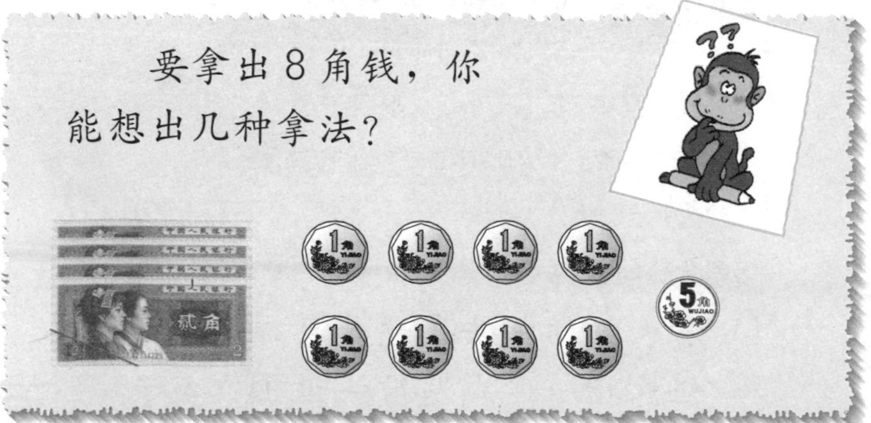

要拿出8角钱，你能想出几种拿法？

整理和复习

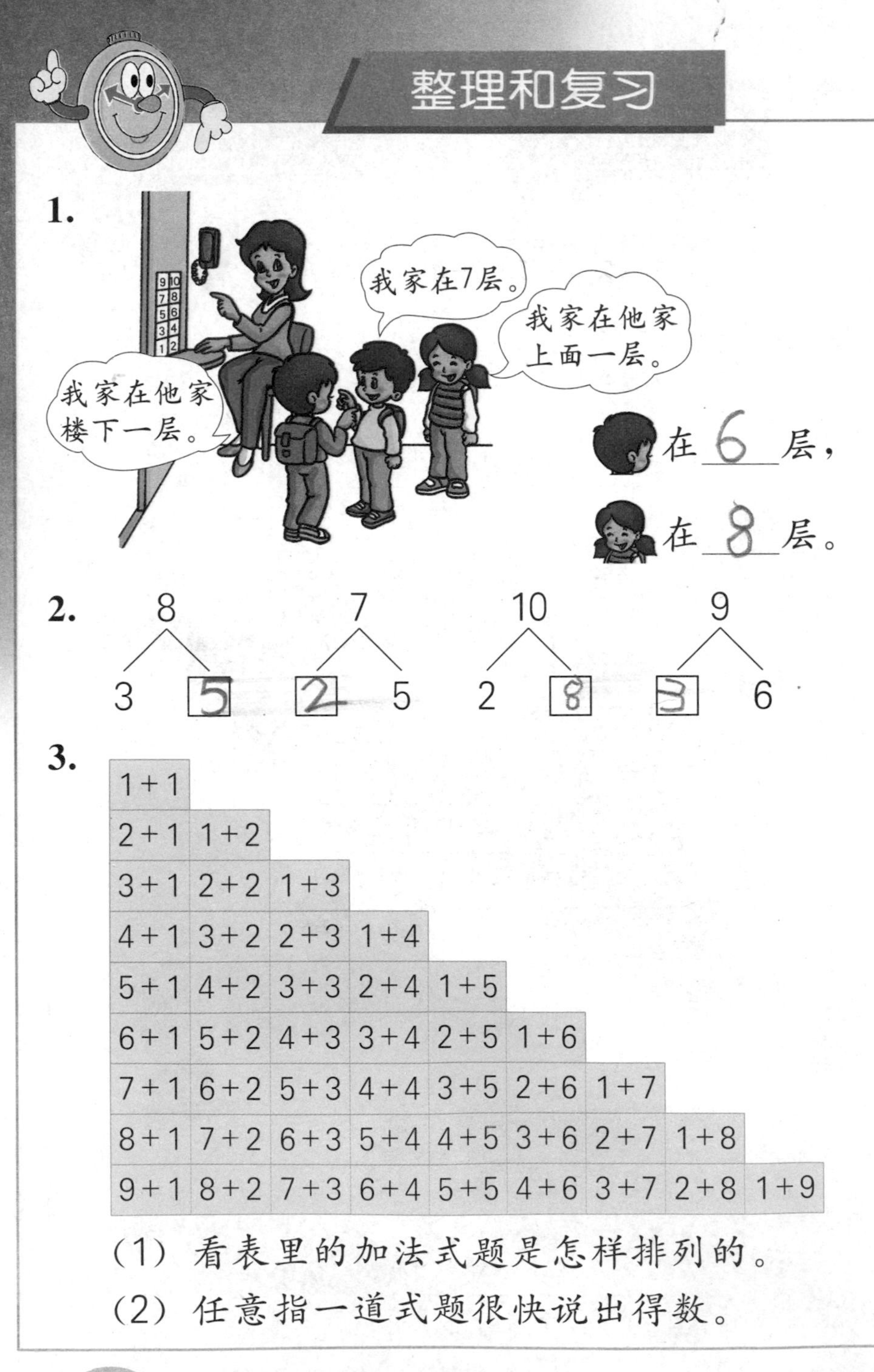

我家在7层。
我家在他家上面一层。
我家在他家楼下一层。

1.

（男孩）在 <u>6</u> 层，

（女孩）在 <u>8</u> 层。

2.

8		7		10		9	
3	□5	□2	5	2	□8	□3	6

3.

1+1								
2+1	1+2							
3+1	2+2	1+3						
4+1	3+2	2+3	1+4					
5+1	4+2	3+3	2+4	1+5				
6+1	5+2	4+3	3+4	2+5	1+6			
7+1	6+2	5+3	4+4	3+5	2+6	1+7		
8+1	7+2	6+3	5+4	4+5	3+6	2+7	1+8	
9+1	8+2	7+3	6+4	5+5	4+6	3+7	2+8	1+9

（1）看表里的加法式题是怎样排列的。

（2）任意指一道式题很快说出得数。

4.

2－1								
3－1	3－2							
4－1	4－2	4－3						
5－1	5－2	5－3	5－4					
6－1	6－2	6－3	6－4	6－5				
7－1	7－2	7－3	7－4	7－5	7－6			
8－1	8－2	8－3	8－4	8－5	8－6	8－7		
9－1	9－2	9－3	9－4	9－5	9－6	9－7	9－8	
10－1	10－2	10－3	10－4	10－5	10－6	10－7	10－8	10－9

（1）看表里的减法式题是怎样排列的。

（2）任意指一道式题很快说出得数。

5.

?只

7 + 3 = 10

7个

7 − 2 = 5

练习十三

1.

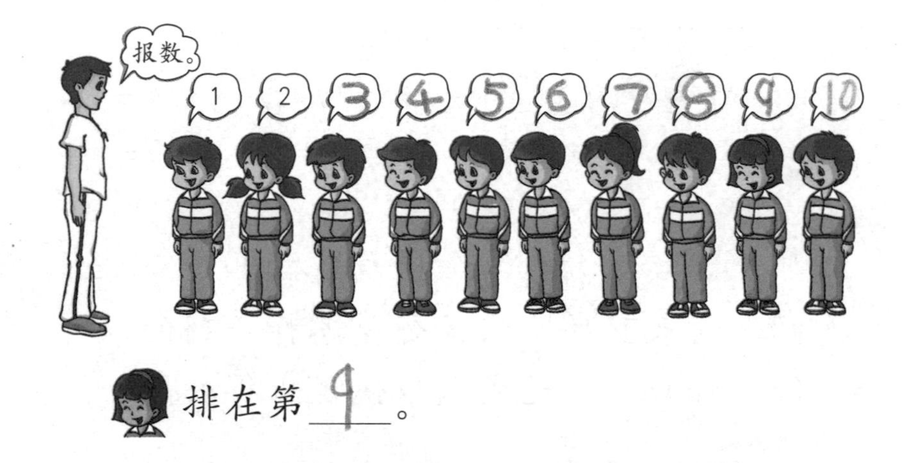

排在第 9 。

2. 看图写出两个加法算式，两个减法算式。

3.

2 + 6 = 8

4. $4+(\ 5\ )=8$ $6+(\ 4\ )=10$

$5+(\ 4\ )=9$ $8+(\ 2\ )=10$

5.

$3+2=$	$2+7=$	$10-9=$
$7-4=$	$8-4=$	$6+4=$
$6+3=$	$5+5=$	$1+8=$
$9-4=$	$9-8=$	$4-4=$
$10-7=$	$3+6=$	$8+2=$
$1+9=$	$4+5=$	$7+3=$

$3+3+2=$ $7+2-5=$

$9-7-2=$ $10-6+5=$

6.

填上数，使每条线上的三个数相加都得 10。

数学乐园

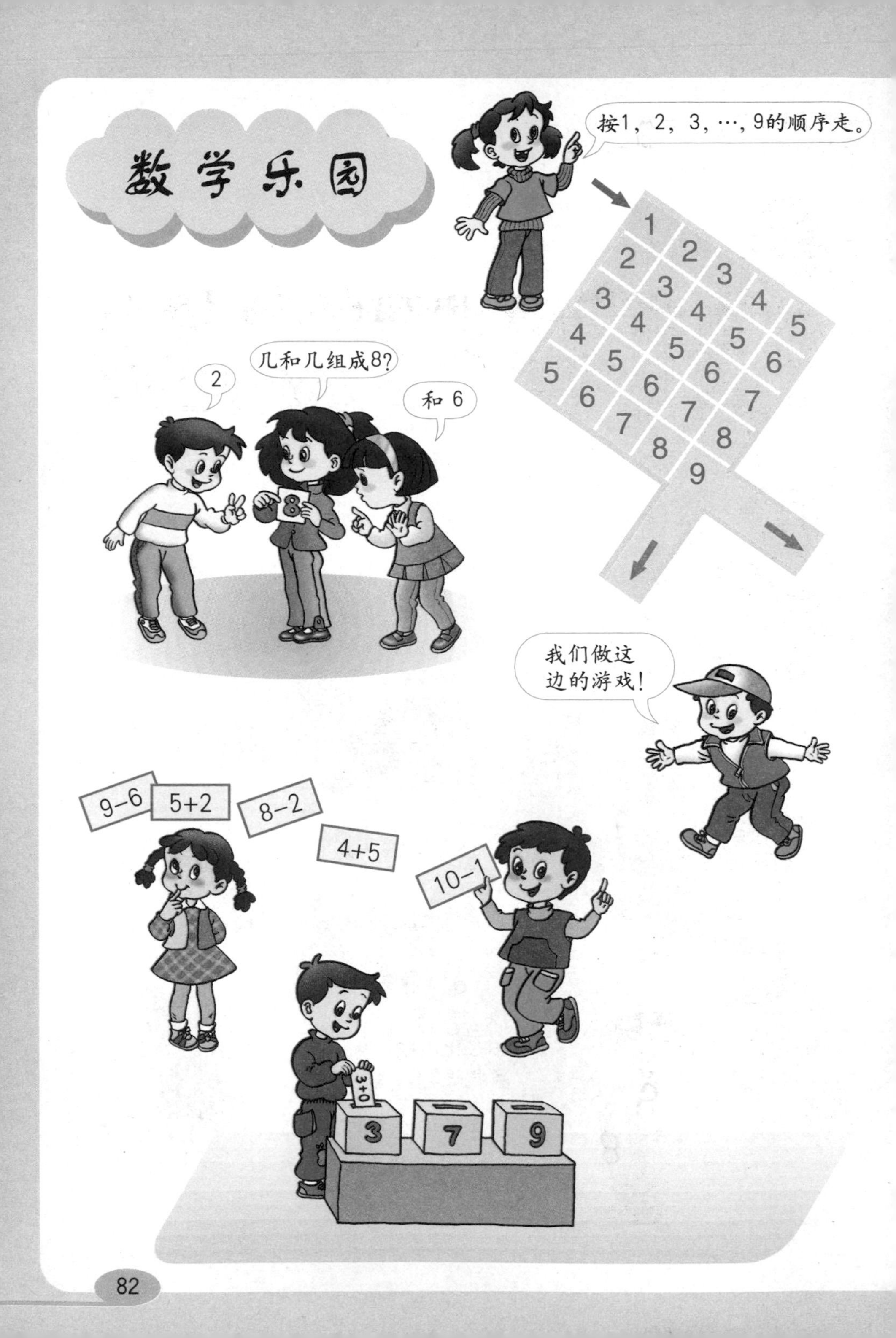

按1，2，3，…，9的顺序走。
1
2 2
3 3 3
4 4 4 4
5 5 5 5 5
6 6 6 6
7 7 7
8 8
9
几和几组成8？
2
和 6
8
我们做这边的游戏！
9-6
5+2
8-2
4+5
10-1
3+0
3
7
9

请前面4位同学站起来。
请从前往后第3位同学站起来。
我们做这边的游戏！
小明比小红少投进3个。
小红比小明多投进3个。
小明
小红

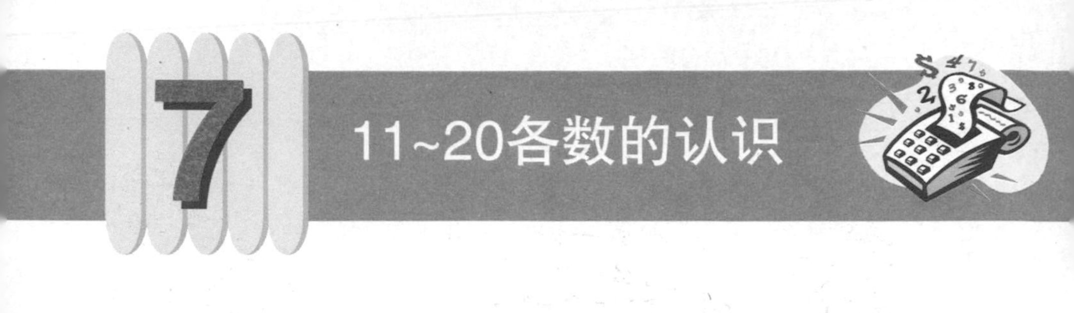

7 11~20各数的认识

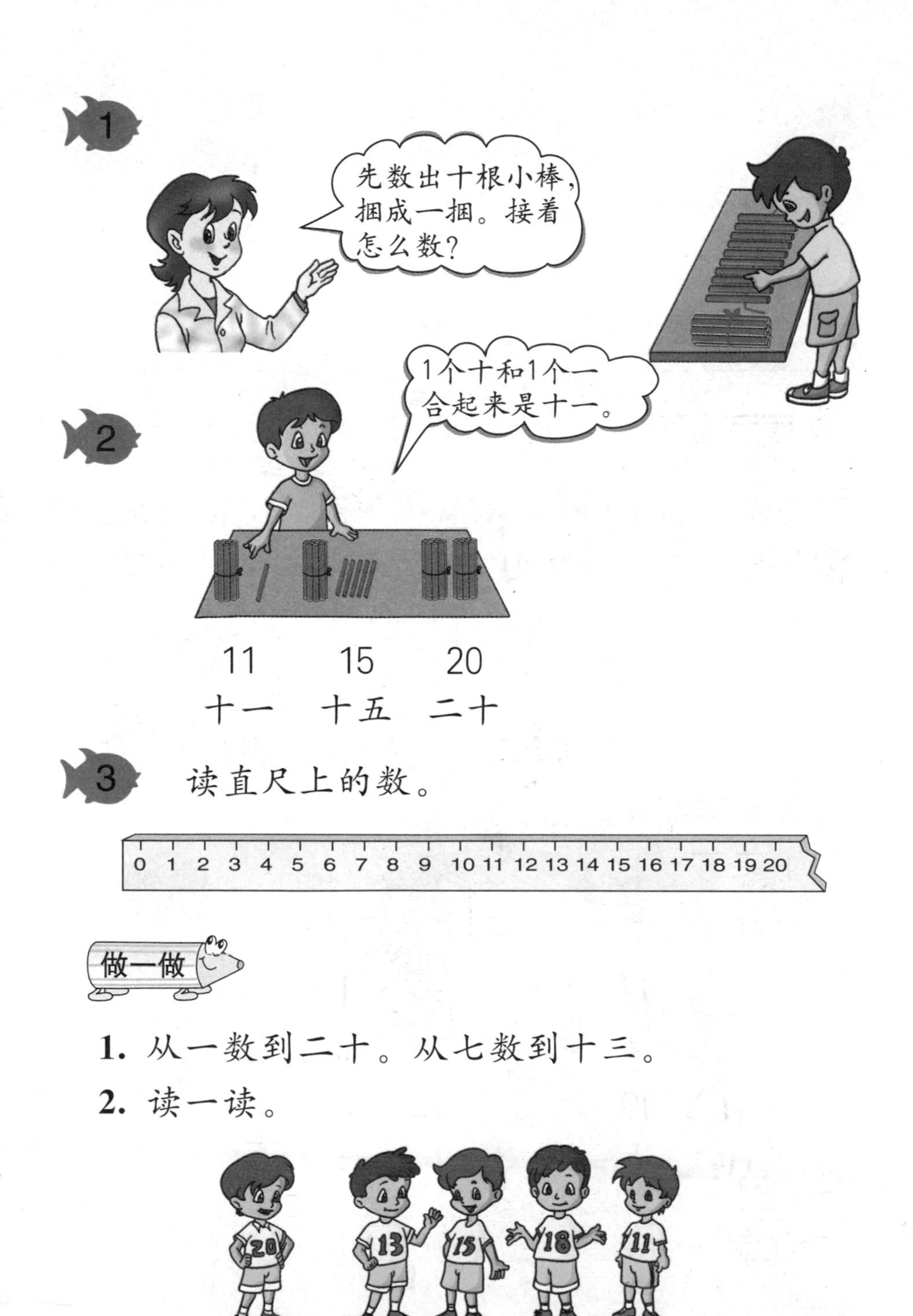

读直尺上的数。

1. 从一数到二十。从七数到十三。

2. 读一读。

4

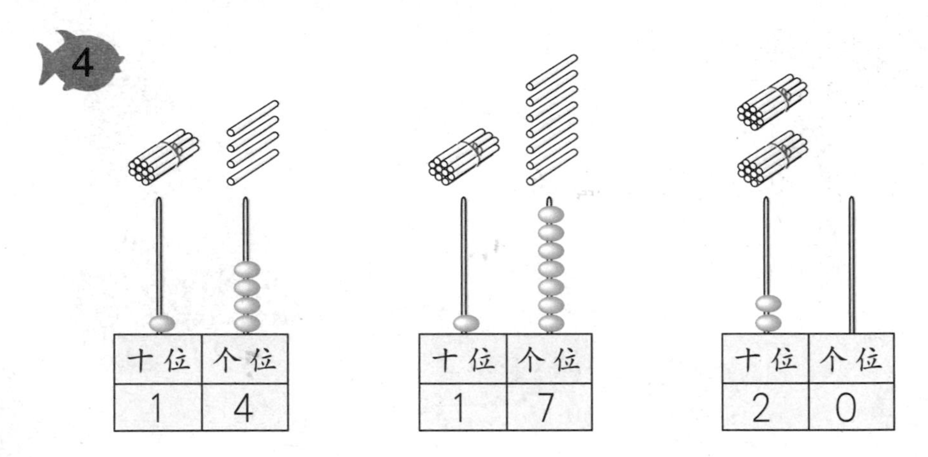

从右边起第一位是个位，第二位是十位。有 1 个十在十位写 1，有 2 个十在十位写 2。有几个一在个位写几。

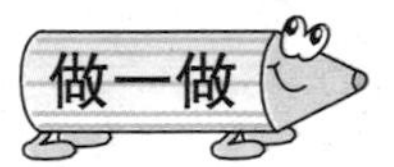

1. 用数字卡片摆出下面各数。

十六　　十一　　十九

十四　　十七　　二十

2. 看图写数。

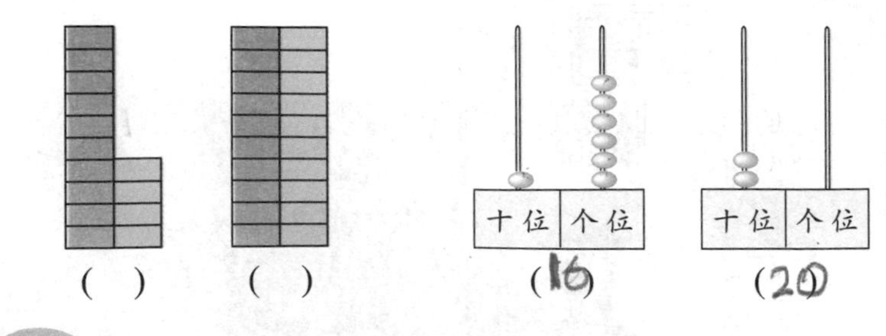

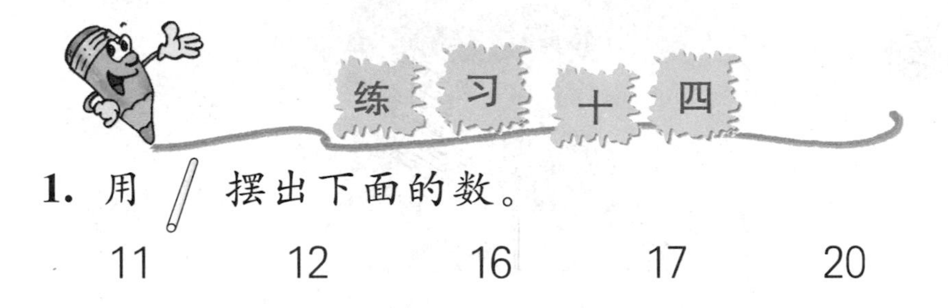

练习十四

1. 用 摆出下面的数。

11　　12　　16　　17　　20

2. 从 1 到 20，按顺序把点连起来。

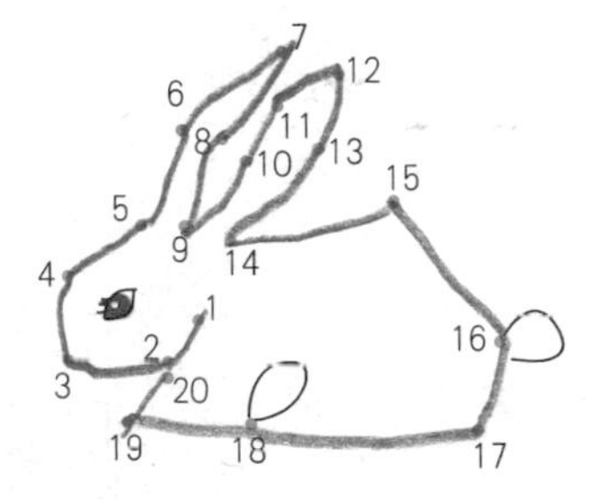

3. 找出数学书的第 8、12、17、20 页。

4.

(　　)个　　(　　)个　　(　　)个

5. 10　(　)　(　)　13　14　(　)　(　)　(　)　18　19　(　)

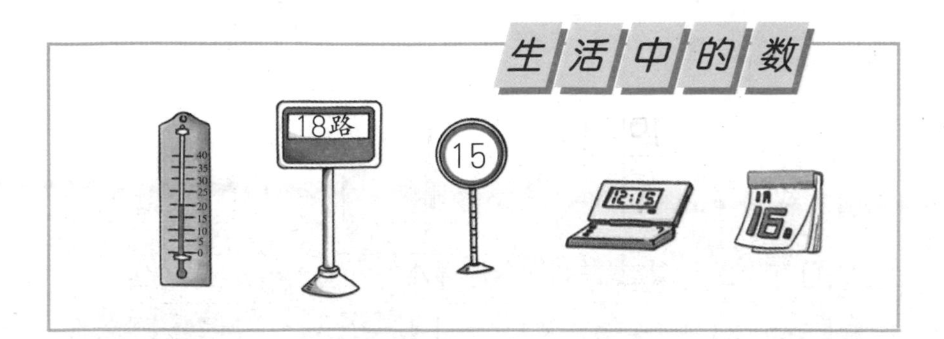

10 + 3 = 13　　　　13 − 3 = 10

3 + 10 = 13　　　　13 − 10 = 3

6

11	+ 2	= 13		13	− 2	= 11
加数	加数	和		被减数	减数	差

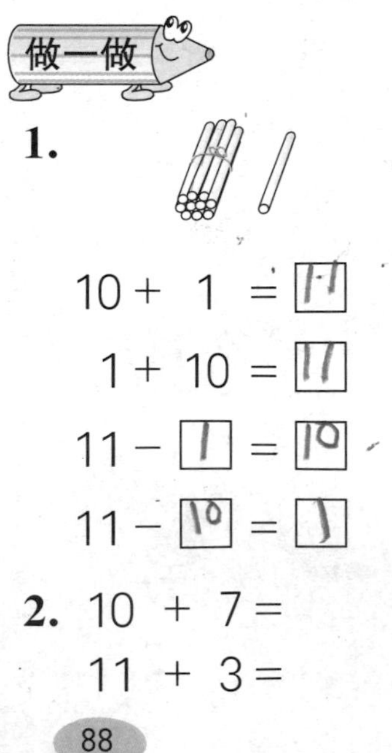

1.

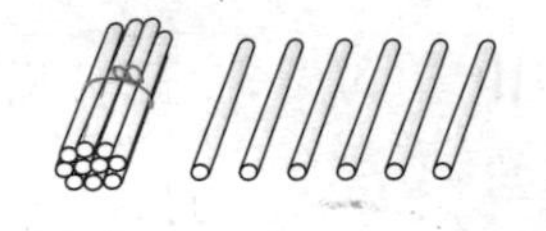

10 + 1 = 11　　　　10 + 1 = 11

1 + 10 = 11　　　　10 + 2 = 12

11 − 1 = 10　　　　12 − 1 = 11

11 − 10 = 1　　　　11 − 1 = 10

2. 10 + 7 =　　　　14 − 4 =

11 + 3 =　　　　13 − 2 =

5.

8 + 7 =	9 + 6 =	5 + 8 =
8 − 6 =	7 − 3 =	9 − 4 =
6 + 10 =	9 + 9 =	11 − 10 =
9 + 4 =	4 + 8 =	7 − 7 =
7 + 5 =	10 − 6 =	6 + 9 =
2 + 8 =	9 − 7 =	8 + 3 =

6.

7. 找一找，右图中：

长方体有（ ）个，

正方体有（ ）个，

球有（ ）个，

圆柱有（ ）个。

8. 先涂色，再填数。

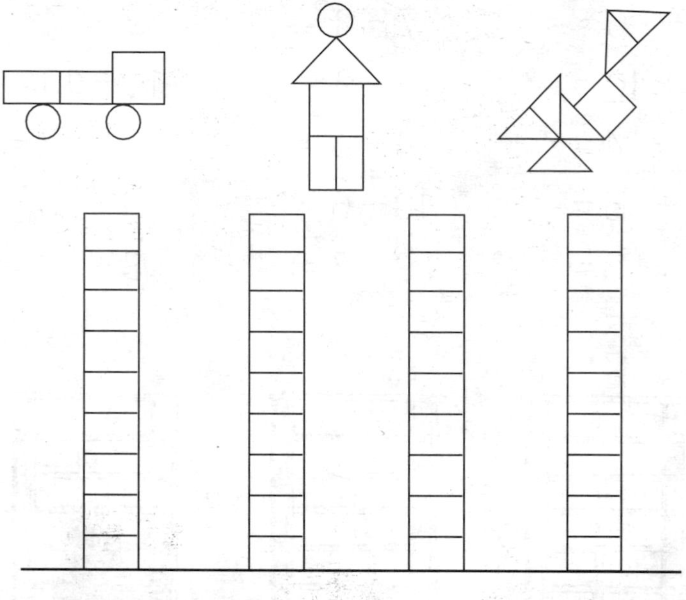

长方形 ( )个　正方形 ( )个　三角形 ( )个　圆 ( )个

9. 说一说，大约是几时？

10. 分别把每一横行、每一竖行、每一斜行的三个数加起来。

4	9	2	( )
3	5	7	( )
8	1	6	( )
( )	( )	( )	( ) ( )

11.

一共有多少人?

□○□ = □（人）

12.

□○□ = □（页）

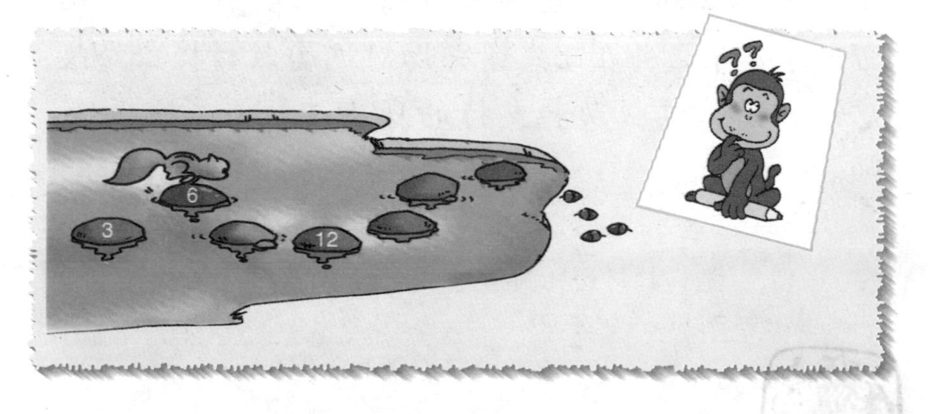

后　记

我们在根据教育部制定的各科《义务教育阶段国家课程标准（征求意见稿）》编写一套义务教育课程标准实验教科书时，得到了许多教育界前辈和各学科的专家学者的帮助和支持。在本册教科书终于和课程改革实验区的学生见面时，我们特别感谢担任这套教材总顾问的丁石孙、许嘉璐、叶至善、顾明远、吕型伟、梁衡、金冲及、白春礼，感谢担任编写指导委员会主任委员的柳斌和编写指导委员会委员的江蓝生、李吉林、杨焕明、顾泠沅、袁行霈，感谢担任学科顾问的丁尔升、李润泉、郑毓信，感谢担任学科编写委员会委员的刘品一、向鹤梅、张晏澜、李莉、李光树、李国良、李晓梅、杨淑萍、周锡华、林玲、武卫民、金英奎、袁玉霞、曹艺冰、曹培英、梁秋莲、潘�、瞿如河、朱文芳、李建华，并在此感谢一切对这套教材提出修改意见、提供过帮助和支持的所有专家、学者和教师。

课程教材研究所小学数学课程教材研究开发中心

2001年6月